# 絶妙好詞箋卷六

弁陽老人周密原輯　宛平查爲仁　錢唐厲鶚　同箋

## 李彭老

彭老字商隱，號篔房。《景定建康志》：李彭老，淳祐中沿江制置司屬官。

### 木蘭花慢

正千門繫柳，賜宫燭、散青烟。看秀靨芳唇，塗妝暈色，試盡春妍。田田，滿階榆莢，弄輕陰、淺冷似秋天。隨處餳香杏暖，燕飛斜韠鞦韆。

朱弦，幾换華年？扶淺醉、落紅前。記舊時游冶，燈樓倚扇，水院移船。吟邊，夢雲飛遠，有題紅、都在薛濤箋。聽絶殘簫倦笛，夜堂明月窺簾。



### 壺中天　登寄閑吟臺

青飇蕩碧，喜雲飛寥廓，清透凉宇。倦鵲驚翻臺樹迥，葉葉秋聲歸樹。珠斗斜河，冰輪輾霧，萬里青冥路。薌深屏翠，桂邊滿袖風露。

烟外冷逼玻璃，漁郎歌杳，擊空明歸去。怨鶴知更蓮漏悄，竹裏篩金簾户。短髮吹寒，閑情吟遠，弄影花前舞。明年今夜，玉樽知醉何處？

### 高陽臺　落梅

飄粉杯寬，盛香袖小，青青半掩苔痕。竹裏遮寒，誰念減盡芳雲？幺鳳叫晚吹晴雪，料水空、烟冷西泠。感凋零、殘縷遺鈿，迤邐成塵。東園曾趁花前約，記按箏籌酒，戲挽飛瓊。環珮無聲，草暗臺榭春深。欲倩怨笛傳清譜，怕斷霞、難返吟魂。轉銷凝，點點隨波，望極江亭。

## 法曲獻仙音 官圃賦梅，繼草窗韵。

雲木槎枒，水蕖搖落，瘦影半臨清淺。翠羽迷空，粉容羞曉，年華柱弦頻換。甚何遜、風流在，相逢共寒晚。 總依黯！念當時，看花游冶，曾錦纜移舟，寶箏隨輦。池苑鎖荒凉，嗟事逐、鴻飛天遠。香徑無人，甚蒼蘚、黃塵自滿。聽鳴啼春寂，暗雨蕭蕭吹怨。

## 一萼紅 寄弁陽翁

過薔薇，正風暄雲澹，春去未多時。古岸停橈，單衣試酒，滿眼芳草斜暉。故人老、經年賦別，燈暈裏、相對夜何其。泛剡清愁，買花芳事，一卷新詩。 流水孤帆漸遠，想家山猿鶴，喜見重歸。北阜尋幽，青津問釣，多情楊柳依依。最難忘、吟邊舊雨，數菖蒲、花老是來期。幾夕相思夢蝶，飛繞蘋溪。

## 高陽臺 寄題蓀壁山房

石笋埋雲，風篁嘯晚，翠微高處幽居。縹緲雲籤，人間一點塵無。緑深門户啼鵑外，看堆床、寶晉圖書。儘蕭閑、浴研臨池，滴露研朱。 舊時曾寫桃花扇，弄霏香秀筆，春滿西湖。松菊依然，柴桑自愛吾廬。冰弦玉麈風流在，更秋蘭、香染衣裾。照窗明，小字珠璣，重見歐虞。

《佩楚軒客談》云：金應桂，字一之，雅標度，能歐書。受知賈似道。居西湖南山中，築蓀壁山房，左弦右壺，中設圖史。客至撫摩諦玩，清談纚纚。每肩輿入城府，幅巾氅衣，望之若神仙然。

## 探芳訊 湖上春游，繼草窗韵。

對芳晝，甚怕冷添衣，傷春疏酒。正緋桃如火，相看自依舊。閑簾深掩梨花雨，誰問東陽瘦！幾多時、漲緑鶯枝，墮紅鴛甃。 堤上賓鞍驟，記草色薰晴，波光摇岫。蘇小門前，題字尚存否？繁華短夢隨流水，空有詩千首。更休言、張緒風流似柳。



## 祝英臺近

杏花初，梅花過，時節又春半。簾影飛梭，輕陰小庭院。舊時月底鞦韆，吟香醉玉，曾細聽、歌珠一串。 忍重見，描金小字題情，生綃合歡扇。老了劉郎，天遠玉簫伴。幾番鶯外斜陽，闌杆倚遍，恨楊柳、遮愁不斷。

## 踏莎行 題草窗《十擬》後

紫曲迷香，緑窗夢月，芳心如對春風說。蠻箋象管寫新聲，幾番曾試瓊壺觖。一作缺 庾信書愁，江淹賦别，桃花紅雨梨花雪。周郎先自足風流，何須更擬秦笙咽。

## 浪淘沙

潑火雨初晴，草色青青。傍檐垂柳賣春餳。畫舫載花花解語，綰燕吟鶯。　簫鼓入西泠，一片輕陰。鈿車羅蓋競歸城。別有水窗人喚酒，弦月初生。

## 四字令

蘭湯晚凉，鸞釵半妝。紅巾膩雪吹香，擘蓮房賭雙。　羅紈素璫，冰壺露床。月移花影西廂，數流螢過墻。

## 生查子

羅襦隱綉茸，玉合銷紅豆。深院落梅鈿，寒峭收燈後。　心事卜金錢，月上鵝黄柳。拜了夜香休，翠被聽春漏。

**《詞旨·屬對》**：　紫曲迷香，綠窗夢月。暗雨敲花，柔風過柳。

**《警句》**：　明年今夜，玉尊知醉何處？（壺中天）閑簾深掩梨花雨，誰問東陽瘦！（探芳訊）幾番鶯外斜陽，闌干倚遍，恨楊柳、遮愁不斷。（祝英臺近）

**《樂府補題》**：　李彭老《天香·賦龍涎香》云：『搗麝成塵，薰薇注露，風酣百和花氣。品重雲頭，葉翻蕉樣，共説内家新製。波浮海沫，誰喚覺、鮫人春睡？　清潤俱饒片腦，芬氳半是沉水。相逢酒邊雨外，火初温、翠爐香細。不似寶珠金縷，領巾紅墜。荀令如今憔悴，銷未盡、當時愛香意。爐暖燈寒，秋聲素被。』《摸魚兒·賦蒓》云：『過垂虹、四橋飛雨，沙痕初漲春水。腥波十里吴歛遠，綠蔓半縈船尾。連復碎，愛滑卷青綃，香裊冰絲細。山人雋味。笑杜老無情，香羹碧澗，空只賦芹美。歸期早，誰似季鷹高致，鱸魚相伴菰米？　紅塵如海邛園夢，一葉又秋風起。湘湖外，看採擷芳條，際曉隨魚市。舊游漫記。但望裏江南，秦鬟賀鏡，渺渺隔烟水。』

**吴文英《夢窗乙稿·絳都春·爲李篔房量珠賀》云**：　情黏舞綫，悵駐馬灞橋，天寒人遠。旋剪露痕，移得春嬌栽瓊苑。流鶯浪語烟中怨，恨三月、飛花零亂！　艷陽歸後，紅藏翠掩，小坊幽院。誰見，新腔按徹，背燈暗，共倚篔屏葱蒨。綉被夢輕，金屋裝深，沉香換。梅花重洗春風面，正溪上、參横月轉。並禽飛上金沙，瑞香霧暖。

## 李萊老

萊老字周隱，號秋崖。《新定續志》：嚴州知州李萊老，咸淳六年任。

### 惜紅衣　寄弁陽翁

笛送西泠，帆過杜曲，畫陰芳緑。門巷清風，還尋故人書屋。蒼華髮冷，笑瘦影、相看如竹。幽谷烟樹曉鶯，訴經年愁獨。殘陽古木，書畫歸船，匆匆又南北。蘋洲鷗鷺，素熟舊盟續。甚日浩歌《招隱》，聽雨弁陽同宿。料重來時候，香蕩幾灣紅玉。

### 青玉案　草窗詞卷

吟情老盡江南句，幾千萬、垂絲縷。花冷絮飛寒食路。漁烟鷗雨，燕昏鶯曉，總入昭華譜。　紅衣妝靚涼生渚，環碧斜陽舊時樹。拈葉分題觴咏處。荀香猶在，庾愁何許，雲冷西湖賦。

### 揚州慢　瓊花次韵

玉倚風輕，粉凝冰薄，土花祠冷無人。聽吹簫月底，傳暮草金城。笑紅紫、紛紛成雨，溯空如蝶，肯墮珠塵？　嘆而今、杜郎還見，應賦悲春。　佩環何許，縱無情、鶯燕猶驚。悵朱檻香銷，緑屏夢杳，腸斷瑤瓊。九曲迷樓依舊，沉沉夜、想覓行雲。但荒烟幽翠，東風吹作秋聲。

《山房隨筆》云：揚州瓊花，天下只一本，士大夫愛重，作亭花側，榜曰『無雙』。德祐乙亥，北師至，花遂不榮。趙棠國炎有絶句吊曰：『名擅無雙氣色雄，忍將一死報東風。他年我若修花史，合傳瓊妃烈女中。』

## 謁金門

春意態，閑却遠山横黛。香徑莓苔嗟粉壞，鳳靴雙鬥彩。　折得花枝懶戴，猶戀鴛鴦飛蓋。舊恨新愁都只在，東風吹柳帶。

## 浪淘沙

榆火換新烟，翠柳朱檐。東風吹得落花顛。簾影翠梭懸綉帶，人倚鞦韆。　猶憶十年前，西子湖邊。斜陽催入畫樓船。歸醉夜堂歌舞月，拚却春眠。

## 生查子

妾情歌柳枝，郎意憐桃葉。羅帶綰同心，誰信愁千結。　樓上數殘更，馬上看新月。綉被怨春寒，怕學鴛鴦疊。

## 高陽臺　落梅

門掩香殘，屏摇夢冷，珠鈿糝綴芳塵。臨水搴花，流來疑是行雲。蘚梢空挂凄涼月，想鶴歸、猶怨黄昏。黯銷凝、人老天涯，雁影沉沉。　斷腸不在聽横笛，在江皋解珮，翳玉飛瓊。烟濕荒村，背春無限愁深。迎風點點飄寒粉，悵秋娘、滿袖啼痕。更關情、青子懸枝，緑樹成陰。

## 木蘭花慢　寄題蓀壁山房

向烟霞堆裏，著吟屋，最高層。望海日翻紅，林霏散白，猿鳥幽深。雙岑，倚天翠濕，看浮雲、收盡雨還晴。曉色千松逗冷，照人眼底長青。　閑情，玉麈風生，摹蘭字、校鵝經。愛静繙緗帙，芸臺棐几，荷製蘭纓。分明，晋人舊隱，掩岩扉、月午籟沉沉。三十六梯樹杪，溯空遥想登臨。

## 清平樂

緑窗初曉，枕上聞啼鳥。不恨王孫歸不早，只恨天涯芳草。



錦書紅泪千行，一春無限思量。折得垂楊寄與，絲絲都是愁腸。

## 臺城路　寄弁陽翁

半空河影流雲碎，亭皋嫩凉收雨。井葉還驚，江蓮亂落，弦月初生商素。堂深幾許？漸爽入雲幬，翠綃千縷。紈扇恩疏，晚螢光冷照窗户。　文園憔悴頓老，又西風暗换，絲鬢無數。燈外殘砧，琴邊瘦枕，一一情傷遲暮。故人倦旅，料渭水長安，感時吟苦。政自多愁，砌蛩終夜語。

## 浪淘沙

寶押綉簾斜，鶯燕誰家？銀箏初試合琵琶。柳色春羅裁袖小，雙戴桃花。芳草滿天涯，流水韶華。晚風楊柳綠交加。閑倚欄杆無藉在，數盡歸鴉。

## 杏花天

年時中酒風流病，正雨暗、蘼蕪深徑。人家寒食烟初禁，狼藉梨花雪影。　西湖夢、紅沉翠冷，記舞板、歌裙厮趁。斜陽苦與黄昏近，生怕畫船歸盡。

## 小重山

畫檐簪柳碧如城。一簾風雨裏，過清明。吹簫門巷冷無聲。梨花月，今夜負中庭。　遠岫斂修嚬。春愁吟入譜，付鶯鶯。紅塵



没馬翠埋輪。西泠曲，歡夢絮飄零。

《詞旨·警句》：歸醉夜堂歌舞月，拚却春眠。（浪淘沙）

《詞眼》：漁烟鷗雨，燕昏鶯曉。

### 應灋孫

灋孫字堯成，號芝室。

## 霓裳中序第一

愁雲翠萬疊，露柳殘蟬空抱葉。簾捲流蘇寶結，乍庭户嫩凉，欄杆微月。玉纖勝雪，委素紈、塵鎖香篋。思前事，鶯期燕約，寂寞向誰説？　悲切，漏籤聲咽，漸寒烘、蘭釭未滅。良宵長是間別，恨酒凝紅綃，粉涴瑶玦。鏡盟鸞影缺，吹笛西風數闋。無言久，和衣成夢，睡損縷金蝶。

## 賀新郎

宿霧樓臺濕。曉晴初、花明柳潤，燕飛鶯集。舊約重來歌舞地，留得艷香嬌色。又夢草、東風吹碧。午困騰騰春欲醉，對文楸、玉子無心拾。看蝶舞，傍花立。　酒痕未醒愁先入。記年時、翠樓寒淺，寶笙慵吸。想駐馬河橋分別恨，輕竹風帆烟笠。早塵暗、華堂簾隙。倚盡黃昏人獨自，望江南、回雁歸雲急。憑付與，錦箋墨。

## 王億之

億之字景陽，號松閑。

## 高陽臺

雙槳敲冰，低篷護冷，扁舟曉渡西泠。回首吴山，微茫遥帶重城。堤邊幾樹垂楊柳，早嫩黃、摇動春情。問孤鴻，何處飛來，共喚飄零。　輕帆初落沙洲暝，漸潮痕雨漬，面色風皴。旅思羈愁，偏能老大行人。姮娥不管征途苦，甚夜深、儘照孤衾？想玉樓、猶凭欄杆，爲我銷凝。

## 余桂英

桂英字子發，號野雲。

## 小桃紅

芳草連天暮，斜日明汀渚。懊恨東風，恍如春夢，匆匆又去。早知人、酒病更詩愁，鎮輕隨飛絮。　寶鏡空留恨，筝雁渾無據。門外當時，薄情流水，如今何處？　正相思、望斷碧山雲，又鶯啼晚雨。

## 胡仲弓

仲弓字希聖，號葦航，清源人。其弟仲參希道，有《竹莊小集》。仇山村多與葦航湖山酬和之作，蓋亦杭之流寓也。

### 謁金門

蛾黛淺，只爲晚寒妝懶。潤逼鏡鸞紅霧滿，額花留半面。　漸次梅花開遍，花外行人已遠。欲寄一枝嫌夢短，濕雲和恨剪。

## 尚希尹

希尹字莘老，號畏齋。



### 浪淘沙

結客去登樓，誰繫蘭舟？半篙清漲雨初收。把酒留春春不住，柳暗江頭。　老去怕閑愁，莫莫休休。晚來風惡下簾鈎。試問落花隨水去，還解西流？

## 柴望

望字仲山，號秋堂，又號歸田，衢之江山人。嘉熙中，爲太學上舍，除中書省奏名。淳祐丙午元旦日蝕，詔求直言，乃撰《丙丁龜鑒》十一卷，起周威烈王五十年丙午，止後漢高祖天福十二年丁未；數其吉凶禍福於前，指其治亂得失於後。書成上之，忤時相，詔下府獄。大尹趙節齋疏救放歸。景炎二年，以布衣特旨授迪功郎、史館編校。宋亡，自號宋逋臣。與其從弟通判隨亨、制參元亨、察推元彪稱『柴氏四隱』。有《道州台衣集》一卷、《涼州鼓吹》一卷。

## 念奴嬌

春來多困，正晷移簾影，銀屏深閉。喚夢幽禽烟柳外，驚斷巫山十二。宿酒初醒，新愁半解，惱得成憔悴。鬟鬆雲鬢，不忺鸞鏡梳洗。　門外滿地香風，殘梅零落，玉糝蒼苔碎。乍暖乍寒渾莫擬，欲試羅衣猶未。鬥草雕欄，買花深院，做踏青天氣。晴鳩鳴處，一池昨夜春水。

### 朱藻

藻號野逸。

## 采桑子

障泥油壁人歸後，滿院花陰，樓影沉沉，中有傷春一片心。　閑穿緑樹尋梅子，斜日籠明，團扇風輕，一徑楊花不避人。

### 黄鑄

鑄字晞顔，號乙山，邵武人。官柳州守。

## 秋蕊香令

花外數聲風定，烟際一痕月净。水晶屏小敧翠枕，院静鳴蛩相應。　香銷斜掩青銅鏡，背燈影。空砧夜半和雁陣，秋在劉郎緑鬢。

### 王同祖

同祖字與之，號花洲，金華人。《景定建康志》：王同祖，奉議郎，淳祐中建康府通判，次添差沿江制置司機宜文字。有《學詩初集》一卷。

## 阮郎歸

一簾疏雨細於塵，春寒愁殺人。桐花庭院近清明，新烟浮舊城。尋蝶夢，怯鶯聲，柳絲如妾情。丙丁帖子畫教成，妝臺求晚晴。

王茂孫

茂孫字景周，號梅山。

## 高陽臺 春夢

遲日烘晴，輕烟縷畫，瑣窗雕户慵開。人獨春閑，金猊暖透蘭煤。山屏緩倚珊瑚畔，任翠陰、移過瑤階。悄無聲、彩翅翩翩，何處飛來？　片時千里江南路，被東風誤引，還近陽臺。膩雨嬌雲，多情恰喜徘徊。無端枝上啼鳩喚，便等閑、孤枕驚回。惡情懷，一院楊花，一徑蒼苔。

## 點絳唇 蓮房

乍脱青衣，猶著輕羅護。多情處，芳心一縷，都爲相思苦。　折斷烟痕，翠蓬初離鴛鴦浦。玉纖相妒，翻被專房誤。

王易簡

易簡字理得，號可竹，山陰人。登進士，除瑞安主簿，不赴，隱居城南。有《山中觀史吟》。

## 齊天樂　客長安賦

宮烟曉散春如霧，參差護晴窗户。柳色初分，餳香未冷，正是清明百五。臨流笑語，映十二欄杆，翠嚬紅妒。短帽輕鞍，倦游曾遍斷橋路。　東風爲誰媚嫵？歲華頻感慨，雙鬢何許！前度劉郎，三生杜牧，贏得征衫塵土。心期暗數，總寂寞當年，酒籌花譜。付與春愁，小樓今夜雨。

## 酹江月

暗簾吹雨，怪西風梧井，凄涼何早。一寸柔情千萬縷，臨鏡霜痕驚老。雁影關山，蛩聲院宇，做就新懷抱。湘臯遺珮，故人空寄瑶草。　已是搖落堪悲，飄零多感，那更長安道！　衰草寒蕪吟未盡，無那平烟殘照。千古閑愁，百年往事，不了黄花笑。漁樵深處，滿庭紅葉休掃。

## 慶宮春　謝草窗惠詞卷

庭草春遲，汀蘋香老，數聲珮悄蒼玉。年晚江空，天寒日暮，壯懷聊寄幽獨。倦游多感，更西北、高樓送目。佳人不見，慷慨悲歌，夕陽喬木。　紫霞洞窅雲深，裊裊餘音，鳳簫誰續？　桃花賦在，竹枝詞遠，此恨年年相觸。翠箋芳字，謾重省、當時顧曲。因君凝佇，依約吴山，半痕蛾緑。

《詞旨·警句》：參差護晴窗户。（齊天樂）心期暗數，總寂寞當年，酒籌花譜。付與春愁，小樓今夜雨。（同上）

《詞眼》：翠顰紅妒。

《樂府補題》：王易簡《摸魚兒·賦蓴》云：『怪鮫宮、水晶簾卷，冰痕初斷香縷。澄波蕩槳人初到，三十六陂烟雨。春又去，伴點點、荷錢隱約吴中路。相思日暮。恨洛浦娉婷，芳鈿剪翠，奩影照凄楚。功名夢，消得西風一度，高人今在何許？鱸香菰冷斜陽裏，多少天涯意緒。誰記取？但枯豉、紅鹽溜玉凝秋箸。尊前起舞。筭惟有淵明，黄花歲晚，此興共千古。』《齊天樂·賦蟬》云：『翠雲深鎖齊姬恨，纖柯暗翻冰羽。錦瑟重調，綃衣乍著，聊飲人間風露。相逢甚處？記槐影初凉，柳陰新雨。聽盡殘聲，爲誰驚起又飛去？商量秋信最早，晚來吟未徹，都是凄楚。斷韵還連，餘悲似咽，欲和愁邊佳句。幽期誰語？恨寒葉凋零，蛻痕塵土。古木斜暉，向人懷抱苦。』

## 張桂

桂字惟月，號竹山。循王從子，恭簡公四世孫。有文曰《慚稿》。

### 菩薩蠻

東風忽驟無人見，玉塘烟浪浮花片。步濕下香階，苔黏金鳳鞋。翠鬟愁不整，臨水閑窺影。摘得野薔薇，游蜂相趁歸。



### 浣溪紗

雨壓楊花路半乾，蜂遺花粉在欄杆，牡丹開盡正春寒。　懶品幺弦金雁並，瘦驚雙釧玉魚寬，新愁不放翠眉間。

## 張磐

磐字叔安，號梅崖。宋末爲嵊令。有《梅崖集》。

### 綺羅香　漁浦有感

浦月窺檐，松泉漱枕，屏裏吴山何處？暗粉疏紅，依舊爲誰匀注？都負了、燕約鶯期，更閑却、柳烟花雨。縱十分、春到郵亭，賦懷應是斷腸句。　青青原上薺麥，還被東風無賴，翻成離緒。望極天西，惟有隴雲江樹。斜照帶、一縷新愁，盡分付、暮潮歸去。步閑階，待卜心期，落花空細數。

《會稽志》云：漁浦，在蕭山縣西三十里。《十道志》云：舜漁處也。

## 浣溪紗

習習輕風破海棠，鞦韆移影上迴廊，晝長蝴蝶爲誰忙？　度柳早鶯分暖緑，過花小燕帶春香，滿庭芳草又斜陽。

《詞旨·警句》：暗粉疏紅，依舊爲誰勻注？都負了、燕約鶯期，更閑却、柳烟花雨。（綺羅香）

# 張林

林字去非，號樗巖。《至正金陵新志》云：張林，池州守，大軍至，迎降。

## 唐多令

金勒鞚花驄，故山雲霧中。翠蘋洲、先有西風。可惜嫩涼時枕簟，都付與、舊山翁。　雙翠合眉峰，泪華分臉紅。向樽前、何太匆匆！　纔是別離情便苦，都莫問、淡和濃！

## 柳梢青　燈花

白玉枝頭，忽看蓓蕾，金粟珠垂。半顆安榴，一枝濃杏，五色薔薇。　何須羯鼓聲催，銀釭裏、春工四時。却笑燈蛾，學他蜂蝶，照影頻飛。

《景定建康志》：樗岩張林《柳梢青·題金陵烏衣園》云：『燕里花深，鶯汀雲淡，客夢江皐。日日言歸，淮山笑我，塵鎖征袍。幾回把酒憑高，闌干外、魂飛暮濤。只有南園，一番風雨，過了櫻桃。』

## 朱蔔孫

蔔，《廣韻》：『所去切，音摭，明也。』高氏刊本作鼎，誤。

蔔孫字令則，號萬山。

### 真珠簾

春雲做冷春知未？春愁在、碎雨敲花聲裏。海燕已尋踪，到畫溪沙際。院落鞦韆楊柳外，待天氣、十分晴霽。春市，又青簾巷陌，紅芳歌吹。　須信處處東風，又何妨對此，籠香覓醉。曲盡索餘情，奈夜航催離。夢滿冰衾身似寄，算幾度、吳鄉烟水。無寐，試明朝説與，西園桃李。

## 吳大有

大有字有大，號松壑，嵊人。寶祐間游太學，率諸生上書言賈似道奸狀，退處林泉，與林昉、仇遠、白珽等七人以詩酒相娛。元初，辟爲國子檢閱，不赴。有《松下偶抄》、《雪後清音》、《歸來幽莊》等集。

### 點絳唇　送李琴泉

江上旗亭，送君還是逢君處。酒闌呼渡，雲壓沙鷗暮。　漠漠蕭蕭，香凍梨花雨。添愁緒，斷腸柔櫓，相逐寒潮去。

## 張　炎

炎字叔夏，西秦人。循王之後。居杭。號玉田，又號樂笑翁。有《詞源》二卷、《山中白雲》八卷。

**鄭所南云**：識張玉田先輩，喜其三十年汗漫南北數千里，一片空狂懷抱，日日化雨爲醉。自仰扳姜堯章、史邦卿、盧蒲江、吳夢窗諸名勝，互相鼓吹春聲於繁華世界，能令後三十年西湖錦綉山水，猶生清響。

**仇山村云**：《山中白雲詞》，意度超玄，律吕協恰，當與白石老仙相鼓吹。

舒閬風云：「玉田詩有姜堯章深婉之風，詞有周清真雅麗之思，畫有趙子固瀟灑之意。」

## 壺中天

養拙夜飲，客有彈箜篌者，即事以賦。

瘦筇訪隱，正繁陰閑鎖，一壺幽緑。喬木蒼寒圖畫古，窈窕人行韋曲。鶴響天高，水流花净，笑語通華屋。虛堂松外，夜深凉氣吹燭。　樂事楊柳樓心，瑶臺月下，有生香堪掬。誰理商聲簾户悄，蕭颯懸璫鳴玉。一笑難逢，四愁休賦，任我雲邊宿。倚闌歌罷，露螢飛下秋竹。

## 渡江雲

次趙元父韵

錦蘼繚繞地，凉燈挂壁，簾影浪花斜。酒船歸去後，轉首河橋，那處認紋紗。重盟鏡約，還記得、前度秦嘉。惟只有、葉題緘付，流不到天涯。　驚嗟，十年心事，幾曲欄杆，想蕭郎聲價。閑過了、黄昏時候，疏柳啼鴉。浦潮夜涌平沙白，溯斷鴻、知落誰家？　書又遠，空江片月蘆花。

## 甘州

餞草窗西歸

記天風飛珮紫霞邊，顧曲萬花深。怪相如游倦，杜陵愁老，還嘆飄零。短夢恍然今昔，故國十年心。回首三三徑，松竹成陰。　不恨片帆南浦，恨剪燈聽雨，誰伴孤吟？　料瘦筇歸後，閑鎖北山雲。是幾番、柳邊行色，是幾番、同醉古園林。烟波遠、筆床茶竈，何處逢君？

《詞旨·樂笑翁奇對》：　隨花甃石，就泉通沼。斷碧分山，空簾剩月。沙净草枯，水平天遠。接葉巢鶯，平波捲絮。晴光轉樹，曉氣分嵐。鶴響天高，水流花净。料理琴書，夷猶今古。款竹門深，移花檻小。掃花尋徑，撥葉通池。亂雨敲春，深烟帶晚。開簾過雨，隔水呼燈。浪捲天浮，山邀雲去。岸角衝波，籬根聚葉。波蕩蘭觴，邻分杏酪。雲映山輝，柳分溪影。荷衣銷翠，蕙帶餘香。香尋古字，譜掐歌聲。行歌趁月，唤酒延秋。穿花覓路，傍柳尋鄰。門當竹徑，路管臺城。鬢絲濕霧，扇錦翻桃。因花整帽，借柳維船。

《警句》：　和雲流出空山，甚年年净洗，花香不了？（南浦·春水）寫不成書，只寄得相思一點。（解連環·孤雁）纔放些晴意，早瘦了、梅花一半。也知不作花看，東風何事吹散？（探春慢·雪霽）見説新愁，如今也到鷗邊。（高陽臺·西湖）莫開簾，怕見飛花，怕聽啼鵑。（同上）須待月，許多情、都付與秋。（聲聲慢·西湖）幾日不來，一片蒼雲未掃。（掃花游·疏寮東墅園）春風不奈垂楊柳，吹却絮雲多少？（齊天樂·鑒曲漁舍會飲）帶天香、吹動一身秋。（八聲甘州·贈桂卿）茂樹石床因坐久，又却被、清風留住。（真珠簾·近雅軒即事）忍不住、低低問春。（慶宫春·都下寒食）不知能聚愁多少？（霜葉飛·聞老妓歌）

鄧牧《伯牙琴》云：　叔夏《春水》一詞，絶唱今古，人以『張春水』目之。

《至正直記》：　錢唐張叔夏嘗賦《孤雁》詞，有『寫不成書，只寄得相思一點』，人皆稱之曰『張孤雁』。

《詞旨》：　蕲王孫韓鑄，字亦顔，學詞於樂笑翁。一旦，與周公謹買舟西湖，泊荷花而飲酒。杯半，公謹舉似亦顔學詞之意，翁指花云：『蓮子結成花自落。』

《珊瑚網》：　元姑蘇汾湖居士陸行直輔之，有家妓名卿卿，以才色見稱，友人張叔夏爲作《古清平樂》贈之云：『候蟲凄斷，人語西風岸。月落沙平流水漫，驚見蘆花來雁。可憐瘦損蘭成，多情應爲卿卿。只有一枝梧葉，不知多少秋聲？』後二十一載，行直以翰林典籍致政歸，則叔夏、卿卿皆下世矣。行直作《碧梧蒼石圖》，并書張詞於卷端，且和之云：『楚天雲斷，人隔瀟湘岸。往事悠悠江水漫，怕聽樓前新雁。深閨舊夢還成，夢中獨記憐卿。依約相思碎語，夜凉桐葉聲聲。』

## 趙崇霄

崇霄字有得，號蓮裹。《宋史·宗室世系表》：　商王元份九世孫，汝惰子。

### 東風第一枝

妒雪梅蘇，迷烟柳醒，游絲輕颺新霽。捲簾看燕初歸，步屧爲花早起。春來猶淺，便做出、十分春意。喜鳳釵、纔卸珠幡，早換巧梳描翠。　著數點、催花雨膩，更一陣、遞香風細。小鶯忺暖調聲，嫩蝶試晴舞翅。清歡易失，怕輕負、年芳流水。好趁閑、共整吟韉，日日訪桃尋李。

## 范晞文

晞文字景文，號藥莊，錢唐人。太學生。理宗時與葉李上書詆賈似道，竄瓊州。入元，以程鉅夫薦，擢江浙儒學提舉，轉長興丞。有《藥莊廢稿》；又《對床夜話》五卷，馮深居序。

### 意難忘

清泪如鉛，嘆咸陽送遠，露冷銅仙。岩花紛墮雪，津柳暗生烟。寒食後，暮江邊，草色更芊芊。四十年，留春意緒，不似今年。　山陰欲棹歸船，暫停杯雨外，舞劍燈前。重逢應未卜，此別轉堪憐。憑急管，倩繁弦，思苦調難傳。望故鄉，都將往事，付與啼鵑。

## 鄭斗煥

斗煥字丙文，號松窗。

### 新荷葉

乳鴨池塘，晴波漾緑鱗鱗。宿藕根香，夏來生意還新。蚨錢小、鈿花貼翠，相間萍星。一番雨過，一番暗展圓青。　魚戲龜游，看來猶未勝情。因憶年時，垂釣曾約輕盈。玉人何處？關情是、半捲芳心。簾風一棹，鴛鴦催起歌聲。

## 曹良史

良史字之才，號梅南，錢唐人。有《梅南摘稿》。

## 江城子

夜香燒了夜寒生，掩銀屏，理銀箏。一曲春風，都是斷腸聲。杜宇欲啼楊柳外，愁似海，思如雲。　背燈暗卸乳鵝裙，酒初醒，夢初醒。蘭炷香篝，誰爲暖羅衾？　二十四簾人悄悄，花影碎，月痕深。

方回《桐江集·跋曹梅南〈詩詞三摘〉》云：曹君良史，錢唐人。衣冠佳盛，湖傲山酣，則有《咸淳詩摘》。兵火變遷，江淮奔走，則有《梅南詩摘》。句如：云生畫佛壁，葉落病僧房；閑來閉門處，認得讀書聲；墻圍敗屋知無主，風響荒林似有人；深樹月昏神火出，斷烟雪霽獵人回。展轉征旗戰鼓十年間，筆力益老矣。至如《鏤冰詞摘》，則以詩之餘，演爲雕刻流麗之作，以至寶丹之字料，生薑白之文法，寄於少游、美成之聲調。

# 董嗣杲

嗣杲字明德，號靜傳，杭人。後入道，改名思學，字無益。有《百花詩集》、《西湖百咏》。

## 湘月

蓮幽竹邃，舊池亭幾處，多愛君子。醉玉吹香，還認取、忙裏得閑標致。心逐雲帆，情隨烟笛，高會知誰繼？　宵筵會啓，驀然身外浮世。　因見杜牧疏狂，前緣夢裏，謾蹙雙眉翠。香滿屏山春滿几，爐擁麝焦禽睡。月落梅空，霜濃窗掩，兩耳風聲起。艷歌終散，輸他鶴帳清寐。

絶妙好詞箋卷六終

錢唐汪　沆
陳　臯同校勘

# 絶妙好詞箋卷七

弁陽老人周密原輯　宛平查爲仁　錢唐厲鶚　同箋

## 周密

密字公謹，濟南人，寓居吴興，復居錢唐。寶祐間爲義烏令。自號草窗，又號弁陽嘯翁，又號蕭齋，又號四水潜夫。詩名《蠟屐集》，詞名《蘋洲漁笛譜》，雜著有《癸辛雜識》四卷、《齊東野語》二十卷、《志雅堂雜鈔》一卷、《浩然齋視聽鈔》、《弁陽客談》、《武林舊事》十卷、《澄懷録》二卷、《雲烟過眼録》一卷。

### 國香慢　賦子固《凌波圖》　夷則商

玉潤金明，記曲屏小几，剪葉移根。經年汜人重見，瘦影娉婷。雨帶風襟零落，步雲冷、鵝管吹春。相逢舊京洛，素靨塵緇，仙掌霜凝。

國香流落恨，正冰銷翠薄，誰念遺簪？　水空天遠，應念礬弟梅兄。渺渺魚波望極，五十弦、愁滿湘雲。凄涼耿無語，夢入東風，雪盡江清。



《珊瑚網》：　趙孟堅《水墨雙鈎水仙卷》自跋云：『余久不作此，又方病目未愈，子用徵夙諾良亟，急起描寫，轉益拙俗，觀者求於形似之外可爾！　彝齋弁陽老人周密題《夷則·國香慢》。』云云。

《樂郊私語》云：　趙孟堅子固，宋宗室也。入本朝，隱居嘉禾之廣陳鎮。時載以一舟，舟中琴書尊勺畢具，往往泊蓼汀葦岸，看夕陽賦曉月爲事。從弟子昂自苕中來訪，公閉門不納，夫人勸之，始令從後門入。坐定，第問：『弁山笠澤佳否？』子昂云：『佳。』公曰：『弟奈山澤佳何？』子昂慚退。

《畫鑒》云：　趙子固墨蘭最妙，葉如鐵，花莖亦佳。作石，用筆如飛白書狀，前人無此也。畫梅、竹、水仙、松枝，皆入妙品，水仙爲尤高。子昂專師其蘭石，覽者當自知其高下。

《畫禪室隨筆》云：　子固水仙欲與楊无咎梅花作敵，周草窗極重其品。曾刺舟嚴陵灘下，見新月出水，大笑云：『此文公所謂「緑净不可唾」，乃我水仙出現也。』

### 一萼紅　登蓬萊閣有感

步深幽，正雲黄天淡，雪意未全休。鑒曲寒沙，茂林烟草，俯仰今古悠悠。歲華晚，漂零漸遠，誰念我、同載五湖舟。磴古松斜，崖陰苔老，一片清愁。　回首天涯歸夢，幾魂飛西浦，淚灑東州。故國山川，故園心眼，還似王粲登樓。最負他、秦鬟妝鏡，好江山、何事此時游！爲喚狂吟老監，其賦銷憂。自注云：閣在紹興，西浦、東州皆其地。

**王象之《輿地紀勝》云**：紹興郡治在卧龍山上，蓬萊閣在郡設廳後，取元微之『我是玉皇香案吏，謫居猶得近蓬萊』句也。名公多題詠，沈紳詩云：『玉鉉相公頒瑞地，金貂仙子挂冠鄉。』錢公輔云：『一級一級烟雲生，四面四面屏障迎。』秦觀詩云：『路隔西陵三兩水，門臨南鎮一千峰。』

**《會稽志》**：張伯玉《州宅》詩序云：『越守王工部，至和中新葺蓬萊閣成，畫圖來乞詩。工部乃王逵也。』

## 掃花游　九日懷歸

江蘺怨碧，早過了霜花，錦空洲渚。孤蛩自語，正長安亂葉，萬家砧杵。塵染秋衣，誰念西風倦旅？恨無據！悵望極歸舟，天際烟樹。　心事曾細數，怕水葉沉紅，夢雲離去。情絲恨縷，倩回紋爲織，那時愁句。雁字無多，寫得相思幾許？　暗伫，近重陽、滿城風雨。

## 三姝媚　送聖與還越

淺寒梅未綻，正潮過西陵，短亭逢雁。秉燭相看，嘆俊游零落，滿襟依黯。露草霜花，愁正在、廢宫蕪苑。明月河橋，笛外樽前，舊情消滅。　莫訴離觴深淺，恨聚散匆匆，夢隨帆遠。玉鏡塵昏，怕賦情人老，後逢凄惋。一樣歸心，又喚起、故園愁眼。立盡斜陽無語，空江歲晚。

## 法曲獻仙音　吊雪香亭梅

松雪飄寒，嶺雲吹凍，紅破數椒春淺。襯舞臺荒，浣妝池冷，凄涼市朝輕換。嘆花與人凋謝，依依歲華晚。　共凄黯！問東風、幾番吹夢，應慣識、當年翠屏金輦。一片古今愁，但廢緑、平烟空遠。無語銷魂，對斜陽、衰草泪滿。又西泠殘笛，低送數聲春怨。

《武林舊事》云：集芳園在葛嶺，元係張婉儀園，後歸太后，殿內有古梅老松甚多。理宗賜賈平章，舊有清勝堂、望江亭、雪香亭等。





## 高陽臺　送陳君衡被召

照野旌旗，朝天車馬，平沙萬里天低。寶帶金章，樽前茸帽風敧。秦關汴水經行地，想登臨、都付新詩。縱英游、疊鼓清笳，駿馬名姬。　酒酣應對燕山雪，正冰河月凍，曉隴雲飛。投老殘年，江南誰念方回？東風漸緑西湖柳，雁已還、人未南歸。最關情、折盡梅花，難寄相思。

## 慶宮春　送趙元父過吳

重疊雲衣，微茫鴻影，短篷穩載吳雪。霜葉敲寒，風燈搖暈，棹歌人語嗚咽。擁衾呼酒，正百里、冰河乍合。千山换色，一鏡無塵，玉龍吹裂。　夜深醉踏長虹，表裏空明，古今清絶。高堂在否？登臨休賦，忍見舊時明月。翠銷香冷，怕空負、年芳輕别。孤山春早，一樹梅花，待君同折。

## 高陽臺　寄越中諸友

小雨分江，殘寒迷浦，春容淺入蒹葭。雪霽空城，燕歸何處人家？　夢魂欲渡蒼茫去，怕夢輕、還被愁遮。感流年、夜汐東還，冷照西斜。　淒淒望極王孫草，認雲中烟樹，鷗外春沙。白髮青山，可憐相對蒼華。歸鴻自趁潮回去，笑倦游、猶是天涯。問東風：先到垂楊，後到梅花？



## 探芳信　西泠春感

步晴晝。向水院維舟，津亭喚酒。嘆劉郎重到，依依漫懷舊。東風空結丁香怨，花與人俱瘦。甚淒涼暗草沿池，冷苔侵甃。　橋外晚風驟。正香雪隨波，淺烟迷岫。廢苑塵梁，如今燕來否？翠雲零落空堤冷，往事休回首！最銷魂，一片斜陽戀柳。

## 水龍吟　白荷

素鸞飛下青冥，舞衣半惹涼雲碎。藍田種玉，緑房迎曉，一奩秋意。擎露盤深，憶君清夜，暗傾鉛水。想鴛鴦正結，梨雲好夢，西風冷、還驚起。　應是飛瓊仙會，倚涼歛、碧簪斜墜。輕妝鬥白，明璫照影，紅衣羞避。霽月三更，粉雲千點，静香十里。聽湘弦奏徹，冰綃偷剪，聚相思泪。

《樂府補題》：宛委山房賦龍涎香，調《天香》；浮翠山房賦白蓮，調《水龍吟》；紫雲山房賦蒓，調《摸魚兒》；餘閑書院賦蟬，調《齊天樂》；天柱山房賦蟹，調《桂枝香》。倡和者爲：玉笥王沂孫聖與，蘋洲周密公謹，天柱王易簡理得，友竹馮應瑞祥父，瑶翠唐藝孫英發，紫雲吕同老和父，箕房李彭老商隱，宛委陳恕可行之，菊山唐珏玉潛，月洲趙汝鈉真卿，五松李居仁師吕，玉田張炎叔夏，山村仇遠仁近：皆宋遺民也。**按**陳恕可，别本作練，非。陳旅《安雅堂集》有《陳行之墓志》云：『會稽陳恕可，古靈先生述古之後，有《樂府補題》一卷。』其爲姓陳無疑。

## 效顰十解

### 四字令 擬花間

眉消睡黄，春凝泪妝。玉屏水暖微香，聽蜂兒打窗。箏塵半床，綃痕半方。愁心欲訴垂楊，奈飛紅正忙。

### 西江月 延祥觀拒霜，擬稼軒。

緑綺紫絲步障，紅鸞彩鳳仙城。誰將三十六陂春，换得兩堤秋錦？眼纈醉迷朱碧，筆花俊賞丹青。斜陽展盡趙昌屏，羞死舞鸞妝鏡。

《武林舊事》云：孤山路四聖延祥觀，有韋太后沉香四聖像、小蓬萊閣、瀛嶼堂、金沙井、六一泉，花寒水潔，氣象幽古，三朝臨幸。

### 江城子 擬蒲江

羅窗曉色透花明，艶瑶笙，按瑶箏。試訊東風，能有幾分春？二十四闌憑玉暖，楊柳月，海棠陰。依依愁翠沁雙顰，愛鶯聲，怕鵑聲。人自多情，春去自無情。把酒問花花不語，花外夢，夢中雲。

## 少年游　宮詞，擬梅溪。

簾銷寶篆捲宮羅，蜂蝶撲飛梭。一樣東風，燕梁鶯院，那處春多。　曉妝日日隨香輦，多在牡丹坡。花深深處，柳陰陰處，一片笙歌。

## 好事近　擬東澤

新雨洗花塵，撲撲小庭香濕。早是垂楊烟老，漸嫩黃成碧。晚簾都捲看青山，山外更山色。一色梨花新月，伴夜窗吹笛。

## 西江月　擬花翁

情縷紅絲冉冉，啼花碧袖熒熒。迷香雙蝶下庭心，一行愔愔簾影。　北里紅紅短夢，東風燕燕前塵。稱銷不過牡丹情，中半傷春酒病。

## 醉落魄　擬參晦

憶憶憶憶，宮羅褶褶銷金色。吹花有盡情無極。泪滴空簾，香潤柳枝濕。　春愁浩蕩湘波窄，紅蘭夢繞江南北。燕鶯都是東風客。移盡庭陰，風老杏花白。

## 朝中措 茉莉，擬夢窗。

彩繩朱乘駕濤雲，親見許飛瓊。多定梅魂纔返，香瘢半掐秋痕。枕函釵縷，熏篝芳焙，兒女心情。尚有第三花在，不妨留待涼生。

## 醉落魄 擬二隱

餘寒正怯，金釵影卸東風揭。舞衣絲損愁千褶。一縷楊絲，猶是去年折。　臨窗擁髻愁難說，花庭一寸燕支雪。春花似舊心情別。待摘玫瑰，飛下粉黃蝶。

## 浣溪沙 擬梅川

蠶已三眠柳二眠，雙竿初起畫鞦韆，鶯櫳風響十三弦。　魚素不傳新信息，鸞膠難續舊姻緣，薄情明月幾番圓？

## 甘州 燈夕書寄二隱

漸萋萋、芳草綠江南，輕暉弄春容。記少年游處，簫聲巷陌，燈影簾櫳。月暖烘爐戲鼓，十里步香紅。敧枕聽新雨，往事朦朧。

還是江南春夢曉，怕等閑愁見，雁影西東。喜故人好在，水驛寄詩筒。數芳程、漸催花信，送歸帆、知第幾番風？　空吟想、梅花千樹，人在山中。

## 踏莎行　與莫兩山談邗城舊事

遠草情鍾，孤花韵勝，一樓聳翠生秋暝。十年二十四橋春，轉頭明月簫聲冷。　賦藥纔高，題瓊語俊，蒸香壓酒芙蓉頂。景留人去怕思量，桂窗風露秋眠醒。

《詞旨·警句》：夢魂欲度蒼茫去，怕夢輕、還被愁遮。（高陽臺）休綴潘郎鬢影，怕綠窗、年少人驚。（聲聲慢·柳花）花深深處，柳陰陰處，一片笙歌。（少年游）

《蘋洲漁笛譜·曲游春·游西湖》云：禁苑東風外，颺暖絲晴絮，春思如織。燕約鶯期，芳情偏在，翠深紅隙。漠漠香塵隔，沸十里、亂絲叢笛。看畫船，盡入西泠，閑却半湖春色。柳陌，新烟凝碧。映簾底宫眉，堤上游勒。輕暝籠烟，怕梨雲夢冷，杏香愁冪。歌管酬寒食，奈蝶怨、良宵岑寂。正滿湖、碎月摇花，怎生去得？　**琳按**：『芳』字上失『惱』字。

《武林舊事》云：都城自過收燈，貴游巨室，争先出郊，謂之探春。水面畫楫，櫛比如鱗，無行舟之路。游之次第，先南而後北，至午則盡入西泠橋裏湖，其外幾無一舸矣。弁陽老人有詞云『看畫船，盡入西泠，閑却半湖春色』，蓋紀實也。

馬臻《霞外集·西湖春日壯游》詩云：畫船過午入西泠，人擁孤山陌上塵。應被弁陽摸寫盡，晚來閑却半湖春。

《蓉塘詩話》：周草窗《西湖十景詞·調寄木蘭花慢·蘇堤春曉》云：『恰芳菲夢醒，漾殘月，轉湘簾。正翠崦收鐘，彤墀放仗，臺榭輕烟。東園，夜游乍散，聽金壺、逗曉歇花籤。宫柳微開露眼，小鶯最泥春眠。冰奩，黛淺紅鮮，臨曉鏡，競晨妍。怕誤却佳期，宿妝旋整，忙上雕軿。都緣，探芳起早，看堤邊、早有已開船。薇帳殘香泪蠟，有人病酒厭厭。』《平湖秋月》云：『碧霄澄暮靄，引瓊駕，碾秋光。看翠闕風高，珠樓夜午，誰擣玄霜？　蒼茫，玉田萬頃，趁仙槎，咫尺接天潢。仿佛凌波步影，露濃環佩衣凉。　鳴璫，净洗新妝，隨皓影，過西廂。正霧衣香潤，雲鬟紺濕，私語相將。鴛鴦，誤驚曉夢，掠芙蓉、度影入銀塘。十二闌干佇立，鳳簫怨徹清商。』《斷橋殘雪》云：『覓梅花信息，擁吟袖，暮鞭寒。自放鶴人歸，月香水影，詩冷孤山。等閑，泮寒晛暖，看融成、御水到人間。瓦隴竹根更好，柳邊小駐游鞍。琅玕，半倚雲灣，孤棹晚，載詩還。是醉魂醒處，畫橋第二，奩月初三。東闌，有人步玉，怪冰泥、沁濕錦鸞斑。還見暗波漲綠，謝池夢草相關。』《雷峰夕照》云：『塔輪分斷雨，倒霞影，漾新晴。看滿鑒春紅，輕橈占岸，疊鼓收聲。簾旌，半鈎待燕，料香濃、徑遠趲蜂程。芳陌人扶醉玉，路傍懶拾遺簪。　郊坰，未厭游情，雲暮合，謾銷凝。想罷歌停舞，烟花露柳，都付栖鶯。重闉，已催鳳鑰，正鈿車、綉勒入争門。銀燭擎花夜暖，禁街淡月黄昏。』《麯院風荷》云：『軟塵飛不到，過微雨，錦機張。正蔭緑池幽，交枝徑窄，臨水追凉。宫妝，蓋羅障暑，泛青蘋、亂舞五雲裳。迷眼紅綃絳彩，翠深偷見鴛鴦。湖光，兩岸瀟湘，風薦爽，扇摇香。算惱人偏是，縈絲露藕，連理秋房。涉江，採芳舊恨，怕紅衣、夜冷落横塘。折得荷花忘却，棹歌唱入斜陽。』《花港觀魚》云：『六橋春浪暖，漲桃雨，鱖初肥。正短棹輕蓑，牽筒荇帶，縈綱蒓絲。依稀，岸紅泝遠，泛仙舟、誤入武陵溪。何處金刀膾玉，畫船傍柳頻催。芳堤，漸滿斜暉，舟葉亂，浪花飛。聽暮榔聲合，鷗沉暗渚，鷺起烟磯。漣漪，夜深浪静，任烟寒、自載月明歸。三十六鱗過却，素箋不寄相思。』《南屏晚鐘》云：『疏鐘敲暝色，正遠樹，緑愔愔。看渡水僧歸，投林鳥聚，烟冷秋屏。孤雲，漸沉雁影，尚殘簫、倦鼓别游人。宫柳栖鴉未穩，露梢已挂疏星。重城，禁鼓催更，羅袖怯，暮寒輕。想綺疏空掩，鸞綃翳錦，魚鑰收銀。蘭燈，伴人夜語，怕香消，漏永著温存。猶憶迴廊待月，畫闌倚遍桐陰。』《柳浪聞鶯》云：『晴空摇翠浪，畫禽静，霽烟收。聽暗柳啼鶯，新簧弄巧，如度秦謳。誰抽，翠絲萬縷，颺金梭、宛轉織芳愁。風裊餘音甚處？絮花三月宫溝。扁舟，纜繫輕柔，沙路遠，倦追游。望斷橋殘日，蠻腰競舞，蘇小墻頭。偏憂，杜鵑唤去，愛綿蠻，竟日挽春留。啼覺瓊疏午夢，翠丸驚度西樓。』《三潭印月》云：『游船人散後，正蟾影，瀉寒湫。看冷沁蛟眠，清宜兔浴，皓彩輕浮。扁舟，泛天鏡裏，溯流光、澄碧浸明眸。栖鷺空驚碧草，素鱗遠避金鈎。臨流，萬象涵秋，懷渺渺，水悠悠。念漢皋遺佩，湘波步襪，空想仙游。風收，翠奩乍啓，度飛星，倒影入芳洲。瑶瑟誰彈古怨，渚宫夜舞潛虬。』《兩峰插雲》云：『碧尖相對處，向烟外，挹遥岑。記舞鷲啼猿，天香桂子，曾去幽尋。輕陰，易晴易雨，看南峰、淡日北峰雲。雙塔擎秋露冷，亂鐘曉送霜清。登臨，望眼增明，沙路白，海門青。正地幽天迥，水鳴山籟，風奏松琴。虚楹，半空聚遠，倚闌干、暮色與雲平。明月千岩夜午，溯風跨鶴吹笙。』

**張炎《山中白雲·一萼紅》**：弁陽翁新居，堂名志雅，詞名《蘋洲漁笛譜》。『製荷衣，傍山窗卜隱，雅志可閑時。款竹門深，移花檻小，動人芳意菲菲。怕冷落、蘋洲夜月，想時將、漁笛静中吹。塵外柴桑，燈前兒女，笑語忘歸。分得烟霞數畝，乍掃苔尋徑，撥葉通池。放鶴幽情，吟鶯歡事，老去却願春遲。愛吾廬、琴書自樂，好襟懷、初不要人知。長日一簾芳草，一卷新詩。』

## 王沂孫

沂孫字聖與，號碧山，又號中仙，會稽人。有《碧山樂府》二卷，又名《花外集》。**《延祐四明志》**：至元中，王沂孫慶元路學正。

## 醉蓬萊　歸故山

掃西風門徑，黄葉凋零，白雲蕭散。柳换枯陰，賦歸來何晚！爽氣霏霏，翠蛾眉嫵，聊慰登臨眼。故國如塵，故人如夢，登高還懶。　數點寒英，爲誰零落？　楚魄難招，暮寒堪攬。步屧荒籬，誰念幽芳遠？　一室秋燈，一庭秋雨，更一聲秋雁。試引芳樽，不知消得，幾多依黯！

## 法曲獻仙音　聚景亭梅，次草窗韵。

層緑峨峨，纖瓊皎皎，倒壓波痕清淺。過眼年華，動人幽意，相逢幾番春换。記唤酒尋芳處，盈盈褪妝晚。　已銷黯！　况淒凉、近來離思，應忘却，明月夜深歸輦。荏苒一枝春，恨東風、人似天遠。縱有殘花，灑征衣、鉛淚都滿。但殷勤折取，自遺一襟幽怨。

**董嗣杲《西湖百咏》注云**：聚景園，在清波門外。阜陵致養北宫，拓圃西湖之東，斥浮屠之廬九。曾經四朝臨幸，繼以諫官陳言，出郊之令遂絶。園今蕪圮，惟柳浪橋、花光亭存。**《夢粱録》**：高似孫《過聚景園》詩云：『翠華不向苑中來，可是年年惜露臺？水際春風寒漠漠，官梅却作野梅開。』

## 淡黄柳

甲戌冬，别周公謹丈於孤山中。次冬，公謹游會稽，相會一月。又次冬，公謹自剡還，執手聚别，且復别去。悵然於懷，敬賦此解。

花邊短笛，初結孤山約。雨悄風輕寒漠漠。翠鏡秦鬟釵别，同折幽芳怨摇落。　素裳薄，重拈舊紅萼。嘆携手，轉離索。料青禽、一夢春無幾。後夜相思，素蟾低照，誰掃花陰共酌？

## 一萼紅　石屋探梅作

思飄飄，擁仙姝獨步，明月照蒼翹。花候猶遲，庭陰不掃，門掩山意蕭條。抱芳恨、佳人分薄，似未許、芳魄化春嬌。雨澀風慳，霧輕波細，湘夢迢迢。　誰伴碧尊雕俎，喚瓊肌皎皎，緑髮蕭蕭？青鳳啼空，玉龍舞夜，遥睇河漢光摇。未須賦、疏香淡影，且同倚、枯蘚聽吹簫。聽久餘音欲絶，寒透鮫綃。

**董嗣杲《西湖百咏》注云**：石屋，在大仁院内，錢氏建。岩石虚廣若屋，下有洞路，石上鐫五百羅漢，屋上建閣三層。

## 長亭怨　重過中庵故園

泛孤艇、東皋過遍，尚記當日，緑陰門掩。屐齒莓階，酒痕羅袖事何限。欲尋前迹，空惆悵、成秋苑。自約賞花人，别後總、風流雲散。　水遠，怎知流水外，却是亂山尤遠。天涯夢短，想忘了、綺疏雕檻。望不盡、苒苒斜陽，撫喬木、年華將晚。但數點紅英，猶識西園凄婉。

## 慶宮春　水仙

明玉擎金，纖羅飄帶，爲君起舞迴雪。柔影參差，幽香零亂，翠圍腰瘦一捻。歲華相誤，記前度、湘皋怨别。哀弦重聽，都是凄涼，未須彈徹。　國香到此誰憐？烟冷沙昏，頓成愁絶。花惱難禁，酒銷欲盡，門外冰澌初結。試招仙魄，怕今夜、瑶簪凍折。携盤獨出，空想咸陽，故宮落月。

## 高陽臺

殘蕚梅酸，新溝水緑，東風節序暄妍。獨立雕欄，誰憐枉度華年？朝朝準擬清明近，料燕翎、須寄銀箋。又争知、一字相思，不到吟邊？　雙蛾不拂青鸞冷，任花陰寂寂，掩户閑眠。屢卜佳期，無憑却怨金錢。何人寄與天涯信，趂東風、急整歸船。縱飄零、滿院楊花，猶是春前。

## 西江月　爲趙元父賦《雪梅圖》

褪粉輕盈瓊靨，護香重叠冰綃。數枝誰帶玉痕描？　夜夜東風不掃。　溪上横斜影淡，夢中落莫魂銷。峭寒未肯放春嬌，素被獨眠清曉。



## 踏莎行　題草窗詞卷

白石飛仙，紫霞凄調，斷歌人聽知音少。幾番幽夢欲回時，舊家池館生青草。　風月交游，山川懷抱，憑誰説與春知道？　空留離恨滿江南，相思一夜蘋花老。

## 醉落魄

小窗銀燭，輕鬟半擁釵横玉。數聲春調清真曲。拂拂朱簾，殘影亂紅撲。　垂楊學畫蛾眉緑，年年芳草迷金谷。如今休把佳期卜。一掬春情，斜月杏花屋。

《詞旨·警句》：一掬春情，斜月杏花屋。（醉落魄）一室秋燈，一庭秋雨，更一聲秋雁。（醉蓬萊）採碎花心，吟碎淡黄雪。（醉落魄）翠簟一池秋水，半床露，半床月。（霜天曉角）恰似斷魂江上柳，越春深越瘦。（謁金門）

《詞眼》：挑雲研雪。

《花外集·八六子》云：掃芳林，幾番風雨，匆匆老盡春禽。漸薄潤侵衣不斷，嫩凉隨扇初生，晚窗自吟。沉沉幽徑芳尋，晻靄苔香簾净，蕭疏竹影庭深。謾淡却、蛾眉晨妝慵掃，寶釵蟲墝，綉衾鸞破；當時暗水和雲泛酒，空山留月聽琴。料如今，門前數重翠陰。《一萼紅·赤城山中題梅花卷》云：玉嬋娟，甚春餘雪在，猶未跨青鸞。疏萼無香，柔條獨秀，應恨流落人間。記曾照、黄昏淡月，漸瘦影、移上小闌干。一點清魂，半枝寒色，芳意斑斑。重省嫩寒清曉，過斷橋流水，問訊孤山。冰骨微銷，塵衣不浣，相見還誤輕攀。未須訝、東南倦客，掩鉛泪、看了又重看。故國吴天樹老，雨過風殘。《前調·初春懷舊》云：小庭深，有蒼苔老樹，風物似山林。侵户清寒，捎池急雨，時聽飛過鳴禽。掃花徑、殘梅似雪，甚過了、人日更多陰？壓酒人家，試燈天氣，相次登臨。猶記舊游亭館，正垂楊引縷，嫩草抽簪。羅帶同心，泥金半臂，花氣低唱輕斟。又争信、風流一别，念前事、空惹恨沉沉。野服山笻醉賞，不似如今。《疏影·咏梅》云：瓊妃卧月，任素裳瘦損，羅帶重結。石徑春寒，碧蘚參差，相思曾步芳屧。籬根分破東風恨，又夢入、水孤雲闊。算如今、也厭娉婷，帶了一痕殘雪。猶記冰奩半掩，冷枝畫未就，歸棹輕折。幾度黄昏，忽到窗前，重想故人初别。蒼虬欲捲漣漪去，謾蜕却、連環香骨。早又是、翠蔭蒙茸，不似一枝清絶。《聲聲慢》云：迎門高髻，倚扇清吭，娉婷未數西洲。淺拂朱鉛，春風二月梢頭。相逢靚妝俊語，有舊家、京洛風流。斷腸句，試重拈彩筆，與賦閑愁。記凌波去後，問明璫羅襪，却爲誰留？枉夢相思，幾回南浦行舟。莫辭玉尊起舞，怕重來、燕子空樓。漫惆悵，抱琵琶、閑過此秋。

《樂府補題》：王沂孫《天香·賦龍涎香》云：『孤嶠蟠烟，層濤蜕月，驪宫夜採鉛水。汛逝槎風，夢深薇露，化作斷魂心字。紅瓷候火，還乍識、冰環玉指。一縷縈簾翠影，依稀海山雲氣。幾回殢嬌半醉，剪春燈、夜寒花碎。更好故溪飛雪，小窗深閉。荀令如今頓老，總忘却、尊前舊風味。謾惜餘薰，空篝素被。』《摸魚兒·賦蒓》云：『玉簾寒、翠絲微斷，浮空清影零碎。碧芽也抱春洲怨，雙卷小緘芳字。還又似，繫羅帶相思，幾點青鈿綴。吴中舊事。悵酪乳争奇，鱸魚謾好，誰與共秋醉？江湖興，昨夜西風又起，年年輕誤歸計。如今不怕歸無準，却怕故人千里。何况是，正落日垂虹，怎賦登臨意？滄浪夢裏。縱一舸重游，孤懷暗老，餘恨渺烟水。』《齊天樂·賦蟬》云：『緑陰千樹西窗曉，厭厭晝眠驚起。嫩翼風微，流聲露悄，半剪冰箋誰寄？凄凉倦耳，謾重拂琴絲，怕尋冠珥。夢短宫深，向人猶與訴憔悴。殘虹收盡過雨，晚來頻斷續，都是秋意。病葉難留，纖柯易老，空憶斜陽身世。山明月碎，甚已絶餘音，尚餘枯蜕。鬢影參差，斷魂青鏡裏。』

**周密《蘋洲漁笛譜·踏莎行·題中仙詞卷》**云：結客千金，醉春雙玉，舊游宫柳藏仙屋。白頭吟老茂陵西，清平夢遠沉香北。玉笛天津，錦囊昌谷，春紅轉眼成秋緑。重翻花外侍兒歌，休聽酒邊供奉曲。

**張炎《山中白雲·瑣窗寒》**：王碧山，又號中仙，越人也。能文工詞，琢語峭拔，有白石意度，今絶響矣！余悼之玉笥山，所謂『長歌之哀，過於痛哭』。『斷碧分山，空簾剩月，故人天外。香留酒殢，蝴蝶一生花裏。想如今、醉魂未醒，夜臺夢語秋聲碎。自中仙去後，詞箋賦筆，便無清致。都是、凄涼意，悵玉笥埋雲，錦袍歸水。形容憔悴，料應也、孤吟山鬼。那知人、彈折素弦，黄金鑄出相思泪。但柳枝、門掩枯陰，候蟲愁暗葦。』

## 趙與仁

與仁字元父，號學舟。**《宋史·宗室世系表》**：燕王德昭十世孫，希挺長子。入元，爲辰州教授。

### 柳梢青　落桂

露冷仙梯，《霓裳》散舞，記曲人歸。月度層霄，雨連深夜，誰管花飛？　金鋪滿地苔衣，似一片、斜陽未移。生怕清香，又隨涼信，吹過東籬。

### 琴調相思引

冰箔紗簾小院清，晴塵不動地花平。昨宵風雨，涼到木樨屏。　香月照妝秋粉薄，水雲飛珮藕絲輕。好天良夜，閑理玉靴笙。

### 西江月

夜半河痕依約，雨餘天氣冥濛。起行微月遍池東。水影浮花，花影動簾櫳。　量減難追醉白，恨長莫盡題紅。雁聲能到畫樓中。也要玉人，知道有秋風。

## 清平樂

柳絲摇露，不綰蘭舟住。人宿溪橋知那處，一夜風聲千樹。曉樓望斷天涯，過鴻影落寒沙。可惜些兒秋意，等閑過了黄花。

## 好事近

春色醉荼蘼，晝永篆烟初絶。臨水楊花千樹，盡一時飛雪。穿簾度竹弄輕盈，東風老猶劣。睡起凭闌無緒，聽幾聲啼鴂。

《詞旨·警句》：昨宵風雨，凉到木樨屏。（琴調相思引）

# 仇遠

遠字仁近，號山村，錢唐人。居白龜池上。入元，仕爲溧陽州學正，張翥、張雨、莫維賢皆出其門，有名當世。有《興觀集》一卷。

## 生查子

釵頭綴玉蠶，耿耿東窗曉。京洛少年游，猶恨歸來早。　寒食正梨花，古道多芳草。今夜試青燈，依舊雙花小。

## 八犯玉交枝　招寶山觀月上

滄島雲連，緑瀛秋入，暮景却沉州嶼。無浪無風天地白，聽得潮生人語。擎空孤柱，翠倚高閣憑虚，中流蒼碧迷烟霧。惟見廣寒門外，青無重數。　不知是水，不知是山是樹，漫漫知是何處？倩誰問、凌波輕步？謾凝佇、乘鸞秦女，想庭曲、《霓裳》正舞。莫須長笛吹愁去，怕喚起魚龍，三更噴作前山雨。

《延祐四明志》云：招寶山，在定海縣東北八里，一名候濤山，爲海控扼。吴萊《甬東山水古迹記》云：『慶元東逼海，有招寶山。或云他處見山有异氣，疑下有寶；或云東夷以海貨來互市，必泊此山。前至峽口，怪石嵚險離立，南曰金鷄，北曰虎蹲。又前爲蛟門，峽東浪激，或大如五石斗瓮，躍入空中，却墮下，碎爲雰雨；或遠如雪山冰岸，聲勢崩擁。秋風一作，海水又壯，排空觸岸，杳不知舟楫所在。』

《樂府補題》：仇遠《齊天樂·賦蟬》云：『夕陽門巷荒城曲，清音早鳴秋樹。薄剪綃衣，凉生鬢影，獨飲天邊風露。朝朝暮暮，奈一度凄吟，一番凄楚！尚有殘聲，驀然飛過别枝去。齊宫往事謾省，行人猶與説，當時齊女。雨歇空山，月籠古柳，仿佛舊曾聽處。離情正苦，甚懶拂冰箋，倦拈琴譜。滿地霜紅，淺莎尋蜕羽。』

《花草粹編》：仇山村《瑶華慢·咏雪》云：『疏疏密密，紛紛漠漠，乍舞風無力。殘磚斷礎，轉眼化作，方珪圓璧。非花非絮，似逞巧、先投窗隙。立小樓不見青山，萬里鳥飛無迹。休憐凍梗冰苔，但飛入平林，都是春色。年華婉娩，誰信道、老却梁園詞客？踏青近也，且一白、何須三白！把一白分與梅花，要點壽陽妝額。』

張翥《蜕庵詞·最高樓·爲山村仇先生壽》云：方寸地，七十四年春，世事幾浮雲。躬行齋内蒲團穩，耆英會裏酒杯頻。日追游，時嘯咏，任天真。喜女嫁男婚今已畢，便束帛安車那肯出？無一事，挂閑身。西湖鷗鷺長爲侶，北山猿鶴暮移文。願年年，湯餅會，樂情親。

錢唐汪　沆

陳　皋同校勘

絶妙好詞箋卷七終

# 《絶妙好詞箋》跋

先君子究心詞學有年，是編因戊辰秋錢唐厲太鴻先生北來，假館於舍，先君子人事之暇，相與篝燈茗碗商榷箋注，搜羅考訂，頗瘁心力。成書於己巳夏，即歿之前數日也。正欲授梓，不謂疾作，遽爾見背。今春檢閲遺稿，手迹宛然，讀之涕泪交并。因急付剞劂，用副先志焉。乾隆庚午春三月上浣，男善長、善和謹識。

清·余集 徐楙輯

# 絶妙好詞續鈔

廣陵書社
中國·揚州

## 《絶妙好詞續鈔》序

詞至南宋而工，詞律亦至南宋而密，此《絶妙詞》之所以獨傳也。草窗編輯原本七卷，人不求備，詞不求多，而蘊藉雅飭，遠勝《草堂》、《花庵》諸刻；又經樊榭箋疏，使詞中本事、詞外逸聞，歷歷可見，誠善本也。向閱宋人説部，見有與集中可引證者，隨筆録出，用補樊榭之闕，惜不能重刻以廣其傳。而草窗所録詞見於雜著者，多同時人所賦，爲《絶妙詞》之所未載，因別爲一卷。而其人與事有可備采摭者，亦仿樊榭之意，備録於篇。雖無當著述，要亦草窗之志也。秋室書。

# 絶妙好詞續鈔卷一

弁陽老人周密原本　仁和余集鈔撮

翁孟寅 見卷三

## 摸魚兒

捲西風、方肥塞草，帶鈎何事東去？月明萬里關河夢，吴楚幾番風雨。江上路，二十載、頭顱凋落今如許。凉生弄麈。嘆江左夷吾，隆中諸葛，談笑已塵土。　寒汀外，還見來時鷗鷺。重來應是春暮。輕裘峴首陪登眺，馬上落花飛絮。拚醉舞，誰解道、斷腸賀老江南句？沙津少駐。舉目送飛鴻，幅巾老子，樓上正凝佇。

賓暘嘗游維揚，賈師憲開帷閫，甚前席之。其歸，又置酒以餞，賓暘即席賦此詞呈。師憲大喜，舉席間飲器凡數十萬，悉以贈之。

王　澡 見卷三

## 祝英臺近 別詞

玉東西，歌宛轉，未做苦離調。著上征衫，字字是愁抱。月寒鬢影刁蕭，舵樓開纜，記柳暗、乳鴉啼曉。　短亭草，還是緑與春歸，羅屏夢空好。燕語難憑，憔悴未渠了。可能妒柳羞花，起來渾懶，便瘦也、教春知道。

趙希邁 見卷三

## 滿江紅

三十年前，愛買劍、買書買畫。凡幾度、詩壇爭敵，酒兵爭霸。春色秋光如可買，錢慳也不曾論價。任粗豪、爭肯放頭低，諸公下？ 今老大，空嗟訝；思往事，還驚詫。是和非未說，此心先怕！ 萬事全將飛雪看，一閑且問蒼天借。樂餘齡、泉石在膏肓，吾非詐。

**薛夢桂** 見卷三

父大圭，紹熙間上書乞立儲，在趙忠定諸人先。叔載，擢高科，通京籍，風度清遠。所居西湖五雲山，曰隔凡闠，曰林壑瓮，通命之曰方崖小隱。諸名士無不納交，儷語、古文詞筆灑落，不特詩也。

## 醉落魄

單衣乍著，滯寒更傍東風作。珠簾壓定銀鈎索。雨弄初晴，輕旋玉塵落。 花唇巧借妝梅約，嬌羞纔放三分蕚。樽前不用多評泊。春淺春深，都向杏梢覺。



**翁元龍** 見卷四

元龍與吴君特爲親伯仲，作詞各有所長；世多知君特，而知時可者甚少。

## 江城子

一年簫鼓又疏鐘，愛東風，恨東風。吹落燈花，移在杏梢紅。玉靨翠鈿無半點，空濕透、綉羅弓。 燕魂鶯夢漸惺忪，月簾櫳，影迷濛。催趁年華，都在艷歌中。明日柳邊春意思，便不與、夜來同。

## 西江月

畫閣換黏春帖，寶筝抛學銀鈎。東風輕滑玉釵流，織綫燕紋鶯綉。 隔帳燈花微笑，倚窗雲葉低收。雙鴛刺罷底尖頭，剔雪閑尋豆蔻。

## 朝中措 茉莉

花情偏與夜相投，心事鬢邊羞。薰醒半床凉夢，能消幾個開頭？ 風輪漫卷，冰壺低架，香霧飀飀。更著月華相惱，木犀淡了中秋。

## 鵲橋仙 巧夕

天長地久，風流雲散，惟有離情無算。從分金鏡不曾圓，到此夜、年年一半。 輕羅暗網，蛛絲得意，多似妝樓針綫。曉看玉砌淡無痕，但吹落、梧桐幾片。

時可詞如『拗蓮牽藕綫，藕斷絲難斷』、『彈水没鴛鴦，教尋波底香』，真花間語也。

### 張樞 見卷五

玉田之父也。斗南筆墨蕭爽，人物醞藉。善音律，嘗度《依聲集》百闋，音韵諧美，真承平佳公子也。

## 戀綉衾

屏綃裛潤惹篆烟，小窗間、人泥晝眠。正雪暖、荼蘼架，奈愁春、塵鎖雁弦。 楊花做了香雲夢，化池萍、猶泛翠鈿。自不怨、東風老，怨東風、輕信杜鵑。

### 清平樂

鳳樓人獨，飛盡羅心燭。夢繞屏山三十六，依約水西雲北。曉奩懶試脂鉛，一緺鸞髻微偏。留得宿妝眉在，要教知道孤眠。

### 木蘭花慢

歌塵凝燕壘，又軟語、在雕梁。記剪燭調弦，翻香校譜，學品伊涼。屏山夢雲正暖，放東風、捲雨入巫陽。金冷紅絛孔雀，翠閑彩結鴛鴦。 銀釭，焰冷小蘭房，夜悄怯更長。待採葉題詩，



含情贈遠，烟水茫茫。春妍尚如舊否？ 料啼痕、暗裏浥紅妝。須覓流鶯寄語，爲誰老却劉郎？

《次斗南韵》云：『路穿崖曲幾回環，天地爲爐不掩關。守分固於貧亦樂，任緣或以倦知還。門前認取朝宗水，屋上元非捷徑山。若欲結茅相共住，雲根可著兩三間。』失載作者姓名。斗南踐歇，朱華爲宣詞令、閣門簿書，詳知朝儀典故。其姑緡雲夫人承恩穆陵，因得出入九禁，備見一時宫中燕幸之事。嘗賦宫詞七十首，盡載當時盛際，非其他想像而爲者。今摭其十於此：『堯殿融春大宴開，山呼纔了樂聲催。侍臣宣勸君恩重，宰相親王對舉杯。』『觀堂鐘響待催班，步入朱廊十二間。宣坐賜茶開講席，花磚咫尺對天顔。』『月籠梅影夜深時，白玉排簫索獨吹。傳得官家暗宣使，黄金約臂翠花枝。』『翠枝斜插滴金花，特髻低蟠貼水荷。應奉人多宣唤少，海棠花下看飛梭。』『笙歌散後歸深院，花柳陰中過曲廊。静掩金鋪三十六，黄昏處處爇衙香。』『燦錦堂西過夕陽，水風欲起芰荷香。内監催掃池邊地，準備官家納晚凉。』『晚凉開宴近中秋，香染金風倚桂樓。花月新篇初唱徹，内人傳旨索歌頭。』（穆陵製花月篇）『銀簧乍艶參差竹，玉軸新調尺合弦。奏罷《六幺》花十八，水晶簾底賜金錢。』『迴廊隔樹簾簾卷，曲水穿橋路路通。禁漏滴斜花外日，御香熏暖柳邊風。』『紫

閣深嚴邃殿西，書林飛白揭宸奎。黄封繳進升平奏，直筆夫人看内批。』

李　演見卷五

賀新凉　多景樓落成

笛叫東風起，弄尊前、楊花小扇，燕毛初紫。萬點淮峰孤角外，驚下斜陽似綺。又婉娩、一番春意。歌舞相繆愁自猛，捲長波、一洗空人世。閑熱我、醉時耳。　緑蕪冷葉瓜州市，最憐予、洞簫聲盡，闌干獨倚。落落東南墻一角，誰護山河萬里？　問人在、玉關歸未？　老矣青山燈火客，撫佳期、漫灑新亭泪。歌哽咽，事如水！

淳祐間，丹陽太守重修多景樓，落成高宴，一時席上皆湖海名流。酒餘，主人命妓持紅箋，徵諸客詞，秋田李演廣翁詞先成，衆人驚賞，爲之閣筆。

劉　瀾見卷五

買陂塘　游天台雁蕩東湖

御風來、翠鄉深處，連天雲錦平遠。卧游已動蓬舟興，那在芙蓉城畔。巾懶岸，任壓頂嵯峨，滿鬢絲零亂。飛吟水殿。載十丈青青，隨波弄粉，菰雨泪如霰。　斜陽外，也有仙妝半面，無言應對花怨。西湖千頃腥塵暗，更憶鑒湖一片。何日見？　試折藕占絲，絲與腸俱斷。遐征漸倦。當穎尾湖頭，緑波彩筆，相伴老坡健。

此養源絶筆也。

李彭老見卷六

## 壺中天

水西雲北，記前回同載，高陽伴侶。一色荷花香十里，偷把秋期頻數。脆管排雲，輕橈噴雪，不信催詩雨。碧筩呼酒，秀箋題遍新句。　誰念病損文園，歲華摇落，事與孤鴻去？露井邀凉吹短髮，夢入蘋洲菱浦。暗草飛螢，喬枝翻鵲，看月山中住。一聲清唱，醉鄉知有仙路。

## 木蘭花慢 送客

折秦淮露柳，帶明月、倚歸船。看佩玉紉蘭，囊詩貯錦，江滿吴天。吟邊，唤回夢蝶，想故山、薇長已多年。草得梅花賦了，棹歌遠和離舷。　風弦，盡入吟篇，傷倦客、對秋蓮。過舊經行處，漁鄉水驛，一路聞蟬。留連，漫聽燕語，便江湖、夜雨隔燈前。潮返潯陽暗水，雁來好寄瑶箋。

## 祝英臺近

載輕寒，低鳴櫓，十里杏花雨。露草迷烟，縈緑過前浦。青青陌上垂楊，綰絲摇珮，漸遮斷、舊曾吟處。　聽鶯語，吹笙人遠天長，誰翻水西譜？淺黛凝愁，遠岫帶眉嫵。畫闌閑倚多時，不成春醉，趁幾點、白鷗歸去。

## 清平樂

合歡扇子，撲蝶花陰裏。半醉海棠扶不起，淡日秋千閑倚。寶箏彈向誰聽，一春能幾番晴？帳底柳綿吹滿，不教好夢分明。

## 一斛珠

露輕風細，中庭夜色凉如水。荷香柳影成秋意。螢冷無光，凉入樹聲碎。　玉簫金縷西樓醉，長吟短舞花陰地。素娥應笑人憔悴。漏歇簾空，低照半床睡。



## 青玉案

楚峰十二陽臺路，算只有、飛紅去。玉合香囊曾暗度。榴裙翻酒，杏簾吹粉，不識愁來處。　燕忙鶯懶青春暮，蕙帶空留斷腸句。草色天涯情幾許？荼蘼開盡，舊家池館，門掩風和雨。

**張直夫嘗爲詞序云：** 靡麗不失爲國風之正，閑雅不失爲騷雅之賦，摹擬玉臺不失爲齊梁之工，則情爲性用，未聞爲道之累。**樓茂叔云：** 裙裾之樂，何待晚悟？筆墨勸淫，咎將誰執？或者假正大之說而掩其不能，其罪我必焉。雖然，與知我等耳！

### 李萊老見卷六

秋崖與兄篔房競爽，號龜溪二隱。

## 倦尋芳

繚墻黏蘚，糝徑飛梅，春緒無賴。綉壓垂簾，骨有許多寒在。寶幄香銷龍麝餅，鈿車塵冷鴛鴦帶。想西園，被一程風雨，群芳都礙。　逗曉色、鶯啼人起，倦倚銀屏，愁沁眉黛。待拚千金，却恨好晴難買。翠苑歡游孤解佩，青門佳約妨挑菜。柳初黄，罩池塘、萬絲愁靄。

## 點絳唇

緑染春波，袖羅金縷雙鸂鶒。小桃勻碧，香襯蟬雲濕。　舞帶歌鈿，閑傍秋千立。情何極？　燕鶯塵迹，芳草斜陽笛。

## 西江月　海棠

緑凝曉雲冉冉，紅酣晴霧冥冥。銀簪懸燭錦官城，困倚墻頭半影。　雨後偏饒艷冶，燕來同作清明。更深猶唤玉靴笙，不管西池露冷。

## 周容

容字子寬，四明人。

## 小重山

謝了梅花恨不禁，小樓羞獨倚、暮雲平。夕陽微放柳梢明，東風冷，眉岫翠寒生。　無限遠山青，重重遮不斷、舊離情。傷春還上去年心，怎禁得，時節又燒燈？

## 張涅

涅字清源。

## 祝英臺近

一番風，連夜雨，收拾做春暮。艷冷香銷，鶯燕慘無語。曉來綠水橋邊，青門陌上，不忍見、落紅無數。 怎分付？獨倚紅藥欄邊，傷春甚情緒！ 若取留春，欲去去何處？也知春亦多情，依依欲住，子規道：『不如歸去。』

### 章謙亨

謙亨字牧叔，吳興人。鉛山令。

## 玉樓春 守歲



團欒小酌醺醺醉，厮捱著、没人肯睡。呼盧直到五更頭，便鋪了、妝臺梳洗。 庭前鼓吹喧人耳，驀忽地、又添一歲。休嫌不足少年時，有多少、老如我底？

牧叔嘗爲浙東憲，風采爲一時所稱。然醖藉滑稽，不同流俗。**又羅希聲《水龍吟·除夕》一詞**：『小童教寫桃符，道人還了常年例。神前竈下，祓除清净，獻花酌水。禱告些兒，也都不是，求名求利。但吟詩寫字，分數上面，略精進，儘足矣。飲量添教不醉，好時節、逢場作戲。驅儺爆竹，軟餳酥豆，通宵不睡。四海皆兄弟，阿鵲也、同添一歲。願家家户户，和和順順，樂升平世。』此集中所無也。

**林案**：羅希聲之下，余氏失鈔『所書孫花翁』五字。

### 魏子敬

## 生查子

愁盈鏡裏山，心叠琴中恨。露濕玉欄秋，香伴銀屏冷。 雲歸月正圓，雁到人無信。孤損鳳皇釵，立盡梧桐影。

劉興伯云：此詞題道塗壁上，甚工。

## 陳參政

參政，北人，名未詳。

### 木蘭花慢　送陳石泉南還

歸人猶未老，喜依舊、著南冠。正雪暗滹沱，雲迷芒碭，夢落邯鄲。鄉心日行萬里，幸此身、生入玉門關。多少秦烟隴霧，西湖净洗征衫。　燕山，從不見吳山，回首一歸難。慨故都禾黍，故家喬木，那忍重看！　鈞天紫城何處？問瑶池、八駿幾時還？誰在天津橋上，杜鵑聲裏闌干。

此詞載之《志雅堂雜鈔》，《詞綜》亦入選。

## 失名

### 謁金門

休只坐，也去看花則個。明日滿庭紅欲墮，花還愁似我。　索性痴眠一瘖，憑個夢兒好做。杜宇不知春已過，枝頭聲越大。

### 小重山

鼓報黄昏禽影歇。單衣猶未試，覺寒怯。塵生錦瑟可曾閲？人去也，閑過好時節。　對景復愁絶。東風吹不散，鬢邊雪。些兒心事對誰説？眠不得，一枕杏花月。

二詞徐愛山嘗稱之，不知何人作也。

失名

## 踏莎行

照眼菱花，剪情菰葉，夢雲吹散無踪迹。聽郎言語識郎心，當時一點誰消得？　柳暗花明，螢飛月黑，臨窗滴泪研殘墨。合歡帶上舊題詩，如今化作相思碧。

**原注**：此詞與《謁金門》（人病酒）詞，并見趙聞禮《釣月集》，不詳何人所作。今查（人病酒）詞已見本集，作譚宣子詞。

失名

## 望遠行　元夕





又還到、元宵臺榭，記輕衫短帽，酒朋詩社。爛漫向、羅綺叢中，馳騁風流俊雅。轉頭是、三十年話。　量減才慳，自覺是、歡情衰謝。但一點難忘，酒痕香帕。如今雪鬢霜髭，嬉游不忺深夜，怕相逢、風前月下。

此詞翁賓暘謂是孫季蕃作，然花翁集中無之。

無名氏

太原府治宣詔亭壁間。

## 減字木蘭花

并州霜早，禾黍離離成腐草。馬困人疲，惟有郊原雀鼠肥。分明有路，好逐衡陽征雁去。鼓角聲中，全晉山河一半空。

金貞祐中，太原已受兵，人情洶洶，府治宣詔亭壁上忽有此詞。草窗云：「蓋鬼詞也。」

·王夫人

清惠，宋昭儀，從謝太后北覲，題詞於汴京夷山驛中。入元，爲女道士，號冲華。

## 滿江紅

太液芙蓉，渾不似、舊時顏色。曾記得、春風雨露，玉樓金闕。名播蘭馨妃后裏，暈潮蓮臉君王側。忽一聲、鼙鼓揭天來，繁華歇。

龍虎散，風雲滅；千古恨，憑誰説？對山河百二，泪盈襟血。客館夜驚塵土夢，宮車曉碾關山月。問姮娥、於我肯從容，同員缺？

**《東園友聞》云：** 此詞或傳張瓊英所賦。

**文天祥和韵：** 燕子樓中，又捱過、幾番秋色。相思處、青春如夢，乘鸞仙闕。肌玉暗銷衣帶緩，泪珠斜透花鈿側。最無端、蕉影上窗紗，青燈歇。　曲池合，高臺滅；人間事，何堪説！向南陽阡上，滿襟清血。世態便如翻覆手，妾身元是分明月。笑樂昌、一段好風流，菱花缺。**代王夫人再用韵：** 試問琵琶，胡沙外、怎生風色？最苦是、姚黄一朵，移根丹闕。王母歡闌瑶宴罷，仙人泪滿金盤側。聽行宮、半夜雨淋鈴，聲聲歇。　彩雲散，香塵滅；銅駝恨，那堪説？想男兒慷慨，嚼穿齦血。回首昭陽辭落日，傷心銅爵迎新月。算妾身、不願似天家，金甌缺。**鄧光薦和韵：**『王母仙桃，親曾醉、九重春色。誰信道、鹿銜花去，浪翻鼇闕。眉鎖姮娥山宛轉，髻梳墜馬雲攲側。恨風沙、吹透漢宮衣，餘香歇。　霓裳散，庭花滅；昭陽燕，應難説。想春深銅雀，夢殘啼血。空有琵琶傳出塞，更無環珮鳴歸月。又爭知、有客夜悲歌，壺敲缺？』光薦名剡，號中齋，文信國客，廬陵人。

**王昭儀《送水雲歸吴》序云：** 水雲留金臺一紀，琴書相與無虛日。秋風天際，束書告行，此懷愴然，定知夜夢先過黄河也！一時同人以『勸君更盡一杯酒，西出陽關無故人』分韵賦詩爲贈。他時海上相逢，當各説神仙人語，又豈以聲律爲拘拘邪？清惠詩：『朔風獵獵割人面，萬里歸人泪如霰。江南江北路茫茫，粟酒千鍾爲君勸。』陳真淑詩：『天山雪子落紛紛，醉擁貂裘坐夜分。明日馬頭南地去，琴邊應是有文君。』黄慧真詩：『高疊燕山冰雪勁，萬里長安風雨横。君衣雲錦勒花驄，此酒一杯何日更？』何鳳儀詩：『十年燕客身如病，一曲剡溪心不競。憑君寄與愛梅仙，天理現時人事盡。』周静真詩：『燕山雪花大如席，馬上吟詩無紙筆。他時若遇隴頭人，折寄梅枝須一一。』葉静慧詩：『塞上砧聲響似雷，憐君騎馬向南回。今宵且向穹廬醉，後夜相思無此杯。』孔清真詩：『瘦馬長吟塞驢吼，坐聽三軍擊刁斗。歸人鞍馬不須忙，爲我更斟葡萄酒。』鄭惠真詩：『琵琶撥盡昭君泣，蘆葉吹殘蔡女啼。歸見林逋煩説似，唐僧三藏入天西。』方妙静詩：『萬里秦城風淅淅，一望蘇州雲冪冪。君今得旨歸故鄉，反鎖衡門勿輕出。』翁懿淑詩：『金門夜醉紫霞觴，乞得黄冠還故鄉。一似陳摶歸華岳，又如李泌過衡陽。』章妙懿詩：『一從騎馬逐鈴鑾，過了千山又萬山。君已歸裝向南去，不堪腸斷唱陽關。』蔣懿順詩：『十年牢落醉穹廬，不用歸榮駟馬車。他日倘思人在北，音書還寄雁來無？』林順德詩：『歸舟夜泊西興渡，坐看潮來又潮去。江草江花春復春，山青水緑元如故。』袁正淑詩：『抱琴歸去海東濱，莫逐成連覓子春。十里西湖明月在，孤山尋訪種梅人。』清惠又有《搗衣詩》呈水雲：『妾命薄如葉，流離萬里行。黄塵燕塞外，愁聽搗衣聲。』又《李陵臺和汪水雲》：『李陵臺上望，答子五言詩。客路八千里，鄉心十二時。孟勞欣已稅，區脱永相離。忽報江南使，新來貢荔支。』汪水雲《秋日酬王昭儀》詩：『愁到濃時酒自斟，挑燈看劍泪痕深。黄金臺迥少知己，碧玉調高空好音。萬葉秋風孤館夢，一燈舊雨故鄉心。庭前昨夜梧桐語，勁氣蕭蕭入短襟。』又《女道士王昭儀仙游》詩：『吴國生如夢，幽州死未寒。金閨詩卷在，玉案道書閑。苦霧蒙丹旐，酸風射素棺。人間無葬地，天上有仙山。』

## 嚴蕊

蕊字幼芳，天台營妓，善琴弈歌舞絲竹書畫，色藝冠時。間作詩詞，有新語，頗通古今。善逢迎，四方聞名，千里來訪。

### 如夢令　賦紅白桃花

道是梨花不是，道是杏花不是。白白與紅紅，別是東風情味。曾記，曾記，人在武陵微醉。

唐與正守台日，酒邊命賦此，即成，與正賞之雙縑。又七夕郡齋開宴，坐有謝元卿者，命以己之姓爲韵賦一詞。酒行，詞成《鵲橋仙》云：『碧梧初墜，桂花纔吐，池上水花微謝。穿針人在合歡樓，正月露、玉盤高瀉。蛛忙鵲懶，耕慵織倦，空做古今佳話。人間剛道隔年期，在天上、方纔隔夜。』元卿爲之心醉。時朱晦庵以使節行部至台，欲摭與正之罪，連及蕊，大受委頓，至徹皐陵之聽。後朱改除，岳商卿爲憲，命自陳，蕊略不構思，口占《卜算子》云：『不是愛風塵，似被前緣誤。花落花開自有時，總賴東君主。去也終須去，住也如何住？ 若得山花插滿頭，莫問奴歸處。』即日判令從良。

乩仙

## 鵲橋仙 七夕

鸞輿初駕，牛車齊發，隱隱鵲橋咿軋。尤雲殢雨正歡濃，但只怕、來朝初八。 霞垂彩幔，月明銀燭，馥郁香噴金鴨。年年此際一相逢，未審是、甚時結煞？

宋慶之寓永嘉時，遇詔歲，鄉士從之者頗衆。適七夕會飲，有僧法辨，善五星，在坐每以八煞爲説，衆人號爲『辨八煞』。酒間，一士致仙扣試事，忽箕動神降。宋怪之，漫云：『姑置此，且求七夕一詞如何？』復請韵，宋指辨云：『以「八煞」爲韵。』忽運箕如飛，成此詞，群誇其警敏。

**附録**：宣和中，李師師以能歌舞稱時。周邦彦爲太學生，時游其家。一夕，祐陵臨幸，倉卒避去。既而賦小詞，所謂『并刀如水，吴鹽勝雪』者，蓋紀此夕事也。未幾，李被宣唤，遂歌於上前。問誰作，以邦彦對，遂與解褐，自此通顯。既而朝廷賜酺，師師又歌《大酺》、《六醜》二解，上顧教坊使袁綯問，綯曰：『此起居舍人、新知潞州周邦彦作也。』問《六醜》之義，莫能對。召邦彦問之，對曰：『此犯六調，皆聲之美者，然絶難歌。』上喜，意將留行，且以近多祥瑞，將使播之樂章。命蔡元長叩之，邦彦云：『某老矣！頗悔少作。』會起居郎張果廉知邦彦嘗於親王席上作小詞贈舞鬟云：『歌席上，無賴是横波。寶髻玲瓏敧玉燕，綉巾柔膩掩香羅。何況會凄娑！ 無個事，因甚斂雙蛾？淺淡梳妝疑是畫，惺忪言語勝聞歌。好處是情多。』爲蔡道其事，上知之，由是得罪。

何籀作《宴清都》，有『天遠，山遠，水遠，人遠』之語，一時號爲『何四遠』。然前有宋景文出知壽春，過維揚，賦《浪淘沙近·留别劉原父》云：『少年不管，流光如箭，因循不覺韶華换。至如今、始惜月滿花滿酒滿。扁舟欲解垂楊岸，尚同歡宴。日斜歌闋將分散，倚闌遥望、天遠水遠人遠。』籀蓋用此也。

汪彦章舟行汴河，見傍岸畫舫有映簾而窺者，止見其額，賦詞云：『小舟簾隙，佳人半露梅妝額。緑雲低映花如刻。恰似秋宵，一半銀蟾白。』蓋以月喻額也。辛幼安嘗有句云：『聞道綺陌東頭，行人曾見，簾底纖纖月。』則以月喻足，無乃太媟乎？（**按**《龍洲詞》『似一鉤新月，淺碧籠雲』，不但稼軒也。）

# 絶妙好詞續鈔卷二

弁陽老人周密原本　錢塘徐楙補録

## 陸　游 見卷一

陸務觀以史師垣薦，賜第。孝宗一日内宴，史與曾覿皆預焉。酒酣，一内人以帕子從曾乞詞，時德壽宮有内人與掌果子者交涉，方付有司治之。覿因謝不敢曰：『獨不聞德壽宮有公事乎？』遂已。他日，史偶爲務觀道之，務觀以告張燾子宮。張時在政府，翼日奏：『陛下新嗣服，豈宜與臣下燕狎如此？』上愧問曰：『卿得之誰？』曰：『臣得之陸游，游得之史浩。』上由是惡游，未幾去國。

### 釵頭鳳

紅酥手，黄藤酒，滿城春色宮墻柳。東風惡，歡情薄，一懷愁緒，幾年離索。錯！錯！錯！　春如舊，人空瘦，泪痕紅浥鮫綃透。桃花落，閑池閣，山盟雖在，錦書難托。莫！莫！莫！



陸務觀初娶唐氏，閎之女也，於其母夫人爲姑侄。伉儷相得，而弗獲於其姑。既出，而未忍絶之，則爲之别館，時時往焉。其姑知而掩之，雖先知挈去，然事不得隱，竟絶之，亦人倫之大變也！唐後改適同郡宗子士程，嘗以春日出游，相遇於禹迹寺南之沈氏園。唐以語趙，遣致酒肴，翁悵然久之，爲《釵頭鳳》一詞，題園壁間云云。實紹興乙亥歲也。翁居鑒湖之三山，晚歲每入城，必登寺眺望，不能勝情。嘗賦二絶云：『夢斷香銷四十年，沈園柳老不飛綿。此身行作稽山土，猶吊遺踪一悵然。』又云：『城上斜陽畫角哀，沈園無復舊池臺。傷心橋下春波緑，曾是驚鴻照影來。』蓋慶元己未歲也。未久，唐氏死。至紹熙壬子歲，復有詩，序云：『禹迹寺南，有沈氏小園。四十年前，嘗題小闋壁間。偶復一到，而園已三易主，讀之悵然！』詩云：『楓葉初丹槲葉黄，河陽愁鬢怯新霜。林亭感舊空回首，泉路憑誰説斷腸？壞壁醉題塵漠漠，斷雲幽夢事茫茫。年來妄念消除盡，回向蒲龕一炷香。』又至開禧乙丑歲暮，夜夢游沈氏園，又作兩絶句云：『路近城南已怕行，沈家園裏更傷情。香穿客袖梅花在，緑醮寺橋春水生。』『城南小陌又逢春，只見梅花不見人。玉骨久沉泉下土，墨痕猶鎖壁間塵。』沈園後屬許氏，又爲汪之道宅云。

蜀娼類能文，蓋薛濤之遺風也。放翁客自蜀挾一妓歸，蓄之别室，率數日一往。偶以病少疏，妓頗疑之。客作詞自解，妓即韵答之云：『説盟説誓，説情説意，動便春愁滿紙。多應念得脱空經，是那個先生教底？不茶不飯，不言不語，一味供他憔悴。相思已是不曾閑，又那得工夫咒你？』或謗翁嘗挾蜀尼以歸，即此也。又傳，一蜀妓述送行詞云：『欲寄意、渾無所有，折盡市橋官柳。看君著上征衫，又相將、放船楚江口。後會不知何日又，是男兒，休要鎮長相守。茍富貴、無相忘，若相忘、有如此酒！』亦可喜也。

吴　琚見卷一

## 水龍吟　喜雪

紫皇高宴蕭臺，雙成戲擊瓊包碎。何人爲把，銀河水剪，甲兵都洗？　玉樣乾坤，八荒同色，了無塵翳。喜冰消太液，暖融鳷鵲，端門曉，班初退。　聖主憂民深意，轉洪鈞、滿天和氣。太平有象，三宫二聖，萬年千歲。雙玉杯深，五雲樓迥，不妨頻醉。細看來，不是飛花片片，是豐年瑞。

淳熙八年正月元日，上坐紫宸殿，引見人使訖，即率皇后、皇太子、太子妃至德壽宫。行朝賀禮訖，官家恭請太上、太后來日就南内排當。初二日，進早膳訖，遣皇太子到宫恭請兩殿，并只用轎兒，禁衛簇擁入内。官家親至殿門恭迎，親扶太上降輦。午正二刻，就凌虛排當三盞，至萼緑華堂看梅。未初，雪大下，正是臘前，太上甚喜。官家云：『今年正欠些雪，可謂及時。』太上云：『雪却甚好，但恐長安有貧者。』上奏云：『已令有司比去年數倍支散矣。』太上亦命提舉官，於本宫支撥官會，照朝廷數目，發下臨安府，支散貧民一次。又移至明遠樓，張燈進酒，節使吴琚進《喜雪·水龍吟》詞云云。上大喜，賜鍍金酒器二百兩、細色段匹、復古殿香羔兒酒等。太后命本宫歌板色歌此曲進酒。太上盡醉，至更後，宣轎兒入便門，上親扶太上上輦還宫。

吴文英見卷四

## 玉樓春　元夕

茸茸狸帽遮梅額，金蟬羅剪胡衫窄。乘肩争看小腰身，倦態强隨閑鼓笛。　問稱家在城東陌，欲買千金應不惜。歸來困頓殢春眠，猶夢婆娑斜趁拍。

都城自舊歲冬孟駕回，則已有乘肩小女，鼓吹舞綰者數十隊，以貢貴邸豪家幕次之玩。而天街茶肆，漸已羅列燈球等求售，謂之燈市。自此以後，每夕皆然。三橋等處，客邸最盛，舞者往來最多。每夕樓燈初上，則簫鼓已紛然自獻於下。酒邊一笑，所費殊不多，往往至四鼓乃還。自此日盛一日。吴夢窗《玉樓春》云云，深得其意態也。

坡翁嘗作《女髑髏贊》，其後徑山大慧師宗杲亦作《半面女髑髏贊》，吴君特嘗戲賦《思佳客》詞云：『釵燕攏雲睡起時，隔墻折得杏花枝。青春半面妝如畫，細雨三更花欲飛。情輕愛別舊相知，斷腸青冢幾斜暉。亂紅一任風吹起，結習空時不點衣。』

## 張掄

掄字才甫，南渡故老，有《蓮社詞》一卷。



### 柳梢青

柳色初濃，餘寒似水，纖雨如塵。一陣東風，縠紋微皺，碧沼鱗鱗。　仙娥花月精神，奏鳳管、鸞弦鬥新。萬歲聲中，九霞杯內，長醉芳春。

乾道三年三月初十日，太上云：『傳語官家，後園有幾株好花，來日請官家過來閑看。』次日，進早膳後，車駕與皇后、太子過官。至清妍亭看荼蘼。就登御舟，繞堤閑游，與湖中一般。太上倚闌閑看，適有雙燕掠水飛過，得旨令曾覿賦之，遂進《阮郎歸》。（詞見後）既登舟，知閤張掄進《柳梢青》云云，曾覿和進。（詞見後）各有宣賜。

### 壺中天慢　牡丹

洞天深處，賞嬌紅輕玉，高張雲幕。國艷天香相競秀，瓊苑風光如昨。露洗妖妍，風傳馥郁，雲雨巫山約。春濃如酒，五雲臺榭樓閣。　聖代道洽功成，一塵不動，四境無鳴柝。屢有豐年天助順，基業增隆山岳。兩世明君，千秋萬歲，永享升平樂。東皇呈瑞，更無一片花落。（此詞或謂是康伯可所賦，張掄以爲己作。）

淳熙六年三月十五日，車駕過宫，恭請太上、太后幸聚景園。次日，皇后先到宫，候車駕至，從太上、太后至聚景園。遍游園中，再至瑶津西軒。都管使臣劉景長供進新製《泛蘭舟曲破》，吴興祐舞，各賜銀絹。遂至錦壁賞大花，三面漫坡牡丹，約千餘叢，各有牙牌金字。上張大樣碧油絹幕。又别剪好色樣一千朵，安頓花架，并是水晶玻璃天青汝窑金瓶。就中間沉香卓兒一隻，安頓白玉碾花商尊，約高二尺，徑二尺三寸，獨插照殿紅十五枝。應隨駕官人、内官，并賜兩面翠葉滴金牡丹一枝，翠葉牡丹沉香柄、金彩御書扇各一把。是日，知閣張掄進《壺中天慢》云云，賜金杯盤、法錦等物。

## 臨江仙



聞道彤庭森寶仗，霜風逐雨驅雲。六龍扶輦下青冥，香隨鸞扇遠，日映赭袍明。　簾捲天街人頂戴，滿城喜氣氤氲。等閑散作八荒春，欲知天意好，昨夜月華新。

九月十五日，明堂大禮。十三日值雨，未時，奏請宿齋北内，送天花蘑菇、蜜煎山藥、棗兒、乳糖、巧炊、火炊、角兒等。十四日早，車駕詣景靈宫，回太廟宿齋，雨終日不止。午後，太上遣提舉至太廟，傳語官家：『連日祀事不易，所有十六日詣宫飲福，以陰雨泥濘勞頓，可免到宫行禮。天氣陰寒，請官家善進御膳，頻添御服。』聖旨遣閤長回奏：『上感聖恩，至日，若登樓肆赦時，依舊詣宫行禮；若值雨不登門時，續當奏聞。』至晚，雨不止，宣諭大禮使趙雄：『來早更不乘輅，止用逍遥輦，詣文德殿致齋。一應儀仗排立，并行放免，從駕官并常服以從。』并遣御藥奏聞北内：『來日爲值雨，更不乘輅，謹遵聖旨，更不過宫行飲福禮。』太上令傳語官家：『既不乘輅，此間也不出去看也。』大禮使趙雄雖已得旨，猶不許放散，上聞之，曰：『來早若不晴時，有何面目？』雄聞之，曰：『縱使不晴，得罪不過罷相耳！』堅執不肯放散。至黄昏後，雨止月明。上大喜，遣内侍李思恭宣諭大禮使：『仍舊乘輅，候登門肆赦訖，詣宫行飲福禮。』十五日，晴色甚佳，車駕自太廟乘輅還内。日映御袍，天顔甚喜，都民皆贊嘆聖德。至巳時，太上直閣子官往齋殿，傳語官家：『且喜晴明，可見誠心感格。』賜御用匹段、玉鞦轡、七寶篦、刀子事件，素食果衣等，仍諭：『連日勞頓，免行飲福禮。』今上就遣知省回奏：『上感聖恩，天氣轉晴，皆太上皇帝聖心感格，容肆赦訖詣宮行禮，并謝聖恩。』十六日，登門肆赦畢，車駕詣宮小次，降輦，提舉傳太上皇聖旨，特減八拜，仍免至壽聖處飲福。行禮畢，略至絳華堂，進泛索，知閣張掄進《臨江仙》詞云云。十一年六月初一日，車駕過宮。太上同至飛來峰，看放水簾，後苑小厮兒三十人打息氣，唱道情。太上云：『此是張掄所撰鼓子詞。』

## 曾觀

觀字純甫，汴人。紹興中，以寄班祗候，與龍大淵同爲建王內知客。孝宗受禪，以潛邸舊人除權知閤門事。淳熙初，除開府儀同三司，加少保，醴泉觀使。有《海野詞》一卷。

### 阮郎歸　雙燕

柳陰庭院占風光，呢喃春晝長。碧波新漲小池塘，雙雙蹴水忙。萍散漫，絮飛揚，輕盈體態狂。爲憐流水落花香，銜將歸畫梁。



### 柳梢青　和張才甫韵

桃靨紅勻，梨腮粉薄，鴛徑無塵。鳳閣凌虛，龍池澄碧，芳意鱗鱗。清時酒聖花神，看內苑、風光更新。一部仙韶，九重鸞仗，天上長春。

### 壺中天慢　中秋

素斂颺碧，看天衢、穩送一輪明月。翠水瀛壺人不到，比似世間秋別。玉手瑤笙，一時同色，小按霓裳疊。天津橋上，有人偷記新闋。 當日誰幻銀橋？ 阿瞞兒戲，一笑成痴絶。肯信群仙高宴處，移下水晶宫闕。雲海塵清，山河影滿，桂冷吹香雪。何勞玉斧，金甌千古無缺！

淳熙九年八月十五日，駕過德壽宫起居。太上留坐，曰：『今日中秋，天氣甚清，夜間必有好月色，可少留，看月了去。』上恭領聖旨。晚宴香遠堂，堂東有萬歲橋，長六丈餘，并用吴璘進到玉石甃成，四畔雕鏤闌檻，瑩徹可愛。橋中心作四面亭，用新羅白羅木蓋造，極爲雅潔。大池十餘畝，皆是千葉白蓮。凡御榻、御屏、酒器、香奩器用，并用水晶。南岸列女童五十人，奏清樂；北岸芙蓉岡一帶，并是教坊工，近二百人。待月初上，簫韶齊舉，縹緲相應，如在霄漢。既入座，樂少止，太上召小劉貴妃獨吹白玉笙《霓裳中序》。上自起執玉杯，奉兩殿酒，并以壘金嵌寶注碗杯盤等賜貴妃。侍宴官開府曾覿恭上《壺中天慢》云云。上皇曰：『從來月詞不曾用「金甌」事，可謂新奇！』賜金束帶、紫番羅水晶注碗一副，上亦賜寶盞古香。至一更五點還内。是夜，隔江西興，亦聞天樂之聲。

## 周必大

必大字子充，一字宏道，廬陵人。紹興二十一年進士，歷官左丞相，封益國公，贈太師，謚文忠。有《省齋集》、《平園續稿》、《近體樂府》一卷。



### 點絳唇 梅

踏白江梅，大都玉斫酥凝就。雨肥霜逗，痴呆閨房秀。 莫待冬深，雪壓風欺後。君知否？却嫌伊瘦，又怕伊僝僽。

### 又 贈小瓊

秋夜乘槎，客星容到天孫渚。眼波微注，將謂牽牛渡。 見了還非，重理霓裳舞。誰無誤？幾年一遇，莫訝周郎顧。

周平園嘗出使，過池陽，太守趙富文彦博招飲。籍中有曹盼者，潔白純静，或病其訥而不穎，公爲賦梅以見意。酒酣，又出家姬小瓊，舞以侑歡，公又賦一闋云。范石湖嘗云朝士中姝麗有三杰，謂韓無咎、晁伯知家姬及小瓊也。禁中亦聞之。异時有以此事中傷公者，阜陵亦爲一笑。

後一闋《詞綜》入選。

## 俞國寶 俞，一作於。

國寶，臨川人。淳熙間太學生，有《醒庵遺珠集》。

### 風入松 題酒肆

一春長費買花錢，日日醉湖邊。玉驄慣識西湖路，驕嘶過、沽酒樓前。紅杏香中歌舞，緑楊影裏鞦韆。　暖風十里麗人天，花壓鬢雲偏。畫船載取春歸去，餘情付、湖水湖烟。明日重携殘酒，來尋陌上花鈿。

西湖游幸。淳熙間，一日御舟經斷橋，橋旁有小酒肆，頗雅潔，中設素屏，書《風入松》一詞於上。光堯駐目稱賞久之，宣問何人所作，乃太學生俞國寶醉筆也。上笑曰：『此詞甚好，但末句未免儒酸。」因爲改定，云「明日重扶殘醉」，則迥不同矣。』即日命解褐。



## 乩仙

### 憶少年

淒涼天氣，淒涼院宇，淒涼時候。孤鴻叫斜月，寒燈伴殘漏。　落盡梧桐秋影瘦，菱鑒古、畫眉難就。重陽又近也，對黄花依舊。

湖學甲子歲科舉後，士友有請仙問得失者，賦此詞，此人竟失舉。

王佐宣子帥長沙日，茶賊陳豐嘯聚數千人，出没旁郡，朝廷命宣子討之。時馮太尉湛謫居在焉，宣子乃權宜用之。諜知賊巢所在，乘日晡放飯少休時，遣亡命卒三十，持短兵以前，湛自率五百人繼其後，徑入山寨。豐方抱孫獨坐，其徒皆無在者。卒睹官軍，錯愕不知所爲，亟鳴金嘯集，已無及矣。於是成擒，餘黨亦多就捕。宣子乃以湛功聞於朝，於是湛以勞復原官。宣子增秩。辛幼安（見卷一）以詞賀之，有云：『三萬卷，龍頭客。渾未得，文章力。把詩書馬上，笑驅鋒鏑。金印明年如斗大，貂蟬元自兜鍪出。』宣子得之，疑爲諷己，意頗銜之。殊不知陳後山亦嘗用此語，《送蘇尚書知常州》云：『枉讀平生三萬卷，貂蟬當復作兜鍪。』幼安正用此。然宣子尹京之時，嘗有書與執政云：『佐本書生，歷官出處自有本末，未嘗得罪於清議。今乃蒙置諸士大夫所不可爲之地，而與數君子接踵而進，除目一傳，天下士人視佐爲何等類？終身之累，孰大於此！』是亦宣子之本心耳！

隆興間，魏勝戰死淮陰，孝宗追惜之。一日，諭近臣曰：『人才須用而後見，使魏勝不因邊釁，何以見其才？如李廣，在文帝時，是以不用；使生高帝時，必將有大功矣！』其後，放翁《贈劉改之》曰：『李廣不生楚漢間，封侯萬户宜其難。』蓋用阜陵語也。改之大喜，以爲善名我。异時，劉潛夫（見卷三）作《沁園春》曲云：『使李將軍，遇高皇帝，萬户侯何足道哉？』又祖放翁之語也。

韓忠武王以樞密就第，絶口不言兵，自號清凉居士。時乘小驟，放浪西湖泉石間。一日，至香林園，蘇仲虎尚書方宴客，王徑造之，賓主歡甚，盡醉而歸。明日，王餉以羊羔，且手書二詞以遺之。《臨江仙》云：『冬日青山蕭灑静，春來山暖花濃。少年衰老與花同。世間名利客，富貴與窮通。榮華不是長生藥，清閑不是死門風。勸君識取主人公。丹方只一味，盡在不言中。』《南鄉子》云：『人有幾何般，富貴榮華總是閑。自古英雄都是夢，爲官，寶玉妻兒宿業纏。年事已衰殘，鬢髮蒼蒼骨髓乾。不道山林多好處，貪歡，只恐痴迷誤了賢。』王生長兵間，初不能書。晚歲忽若有悟，能作字及小詩詞，皆有見趣，信乎非常之才也！

開禧用兵，金人元帥紇石烈子仁領兵據濠梁，大書一詞於濠之倅廳壁間。詞名《上平南》，即《上西平》之調，云：『蠆鋒摇，螳臂振，舊盟寒。恃洞庭、彭蠡狂瀾。天兵小試，萬蹄一飲楚江乾。捷書飛上九重天，春滿長安。舜山川，周禮樂，唐日月，漢衣冠。洗五州、妖氣關山。已平全蜀，風行何用一泥丸？有人傳喜日邊，都護先還。』子仁蓋女真之能文者，故敢肆言無憚如此。

賈師憲當國日，卧治湖山，作堂曰『半閑』，又治圃曰『養樂』，然名爲就養，其實怙權固位，欲罷不能也。每歲八月八日生辰，四方善頌者以數千計。悉俾翹館譽考，以第甲乙，一時傳誦，爲之紙貴，然皆諂詞囈語也。偶得首選者數闋，戲書於此。陳惟善合《寶鼎現》詞云：『神鰲誰斷？幾千年再，乾坤初造。算當日、枰棋如許，争一著吾其衽左。談笑頃、又十年生聚，處處邠風葵棗。江如鏡、楚氛餘幾？猛聽甘泉捷報。天衣細意從頭補，爛山龍、華蟲黼藻。宫漏永、千門魚鑰，截斷紅塵飛不到。街九軌、看千貂避路，庭院五侯深鎖。好一部、太平六典，一一周公手做。赤舄綉裳，消得道、斑爛衣好。儘龐眉鶴髮，天上千秋難老。甲子平頭纔一過，未説汾陽考。看金盤、露滴瑶池，龍尾放班回早。』廖瑩中群玉《木蘭花慢》云：『請諸君著眼，來看我、福華編。記江上秋風，鯨蓁漲雪，雁徼迷烟。一時幾多人物，只我公、隻手護山川。爭睹階符瑞象，又扶紅日中天。因懷下走奉櫜鞬，磨盾夜無眠。知重開宇宙，活人萬萬，合壽千千。鳧鷖太平世也，要東還、越上是何年？消得清時鐘鼓，不妨平地神仙。』陸景思《甘州》云：『滿清平世界慶秋成，看看斗米三錢。論從來活國，論功第一，無過豐年。辦得閑民一飽，餘事笑談間。若問平戎策，微妙難傳。玉帝要留公住，把西湖一曲，分入林園。有茶爐丹竈，更有釣魚船。覺秋風、未曾吹著，但砌蘭、長倚北堂萱。千千歲、上天將相，平地神仙。』趙從橐《陂塘柳》云：『指庭前、翠雲金雨，霏霏香滿仙宇。一清透徹渾無底，秋水也無流處。君試數，此樣襟懷，頓得乾坤住。閑情半許，聽萬物氤氳，從來形色，每向靜中覷。琪花路，相接西池喜母，年年弦月時序。荷衣鞠佩尋常事，分付兩山容與。天證取，此老平生，可向青天語。瑶巵緩舉，要見我何心，西湖萬頃，來去自鷗鷺。』郭應酉居安《聲聲慢》云：『捷書連晝，甘灑通宵，新來喜沁堯眉。許大擔當，人間佛力須彌。年年八月八日，長記他、三月三時。平生事，想只和天語，不遣人知。一片閑心鶴外，被乾坤繫定，虹玉腰圍。閶闔雲邊，西風萬籟吹齊。歸舟更歸何處？是天教、家在蘇堤。千千歲，比周公、多個彩衣。』且侑以儷語云：『彩衣宰輔，古無一品之曾參；衮服湖山，今有半閑之姬旦。』所謂『三月三日』，蓋頌其庚申蘋草坪之捷，而『歸舟』乃舫齋名也。賈大喜，自仁和宰除官告院。既而語客曰：『此詞固佳，然失之太俳，



安得有著彩衣周公平？』

嘗記淳熙間，王氏子與陶女名師兒共溺西湖，有人作『長橋月、短橋月』，正其事也，至載之周平園日記中。**案**花庵《中興絶妙好詞選》：『吳禮之，字子和，錢塘人。有《順受老人詞》五卷。王生、陶氏月夜共沉西湖，賦《霜天曉角》吊之云：「連環易缺，難解同心結。痴呆佳人才子，情緣重、怕離別。意切，人路絶，共沉烟水闊。蕩漾香魂何處？長橋月、斷橋月。」』（是『斷橋』可名『短橋』也）

《石林詞》：『誰採蘋花寄與，又悵望、蘭舟容與。』或以爲重押韵，遂改爲『寄取』，殊無義理。蓋『容與』之『與』自音豫，乃去聲也。揚子雲《河東賦》云：『靈輿安步，風流容與。』**注**：天子之容服而安豫，與讀爲豫。《漢·禮樂志》：『練時日，澹容與。』注：閑舒，皆去聲。

仁和王金鎔
孫元濬同校勘

## 《絶妙好詞續鈔》跋

余氏秋室《絶妙好詞續鈔》一卷，蓋繼草窗之志也。戊子夏，予有重録《詞箋》之舉，友人瞿子穎山將《續鈔》重爲編次，囑附於後。其詞太半從《浩然齋雅談》輯出，餘惟《志雅堂雜鈔》一闋，《癸辛雜識》、《齊東野語》數闋，兼綴以詞話。今檢《武林舊事》，又鈔録當時供奉諸作，而《雅談》、《雜識》、《野語》中尚有未采者，亦在所勿弃。至若王邁、林外、甄龍友諸人之詞，句既零星，語涉諧謔，不復録矣。知不免挂漏，聊以補余氏《續鈔》之闕云爾。己丑秋八月十一日，問年道人徐楙識於秋聲舊館。

# 《絶妙好詞箋》點校説明

本書以清道光八年（1828）徐楙愛日軒刻本爲底本，加以標點校訂，内容、版式基本保留原本風貌。該書在數百年間幾經傳抄、刊刻，不斷增入新的内容，加之箋注者引證了大量的筆記、史料著作，因而不免有舛誤之處，詞作和引文與它本也有互异之處。在點校過程中，主要依循以下幾點：

一、詞的標點，主要依照《詞律》、《唐宋詞格律》，并參考《全宋詞》、宋詞選本及宋人詞集作以校改；箋注引文的標點，盡量參照所引證資料的原著加以校改。

二、所選詞的作者、調名及字句與它本有出入的，如爲明



顯錯誤或經他人考證爲誤的，在本書中作以改動并在《校記》中説明，其餘的均以原本爲準。

三、箋注所引證的資料，有的與原著中不盡相同，有的對原著做過删略，如引文字句通順、文義曉暢，均不做改動；如引文字句不通順或意思難解，參照原書作適當的補充或改動，并在《校紀》中加以説明。

四、底本中使用了大量的异體字，本書以中國文字改革委員會所發布的《第一批异體字整理表》爲標準進行統一，一些人名、地名、書名保留原字。

五、底本中『莫』字一體兩義，即『暮』（日落）、『莫』（表否定），凡作『暮』義均改作『暮』； 另『閒』字一體兩義，即『閑』（清

閑)、『間』(表位置),凡作『閑』義均改作『閑』。

因時間和資料的限制,本書中可能仍有失校或疏忽之處,祈望識者諒解并予以指正。

# 《絕妙好詞箋》校記

## 卷一

㈠頁一下倒二行：底本作『杜預注云「春秋宣城縣西南有桐水，出白石山、西北入丹陽」是也』，按《春秋左傳正義》（十三經注疏本）卷五十九作『魯哀公十五年，夏，楚子西、子期伐吳，及桐汭。杜預注：「宣城廣德縣西南有桐水，出白石山、西北入丹陽湖」。』據此，改爲『杜預注《春秋左傳》云』，注文亦改。

㈡頁二下六行：底本作『妓有韵此』，據《能改齋漫録》頁五〇一『頭上宫花顫詞』條，『韵』改爲『歌』。

㈢頁三上四行：底本作『號石湖』，改作『號石湖居士』，據《詞林紀事》頁二九七、《宋詞通論》頁二一七。

㈣頁四下二行：底本作『檥棹石湖』，《康熙字典》頁五六二：『檥，同檝；檝，《玉篇》：「杓也，蠡爲檝也。」』此義則原文不通，故推斷『檥』爲『艤』之誤，《辭源》頁一六四一：『艤，整船靠岸。』據此，改『檥』爲『艤』。

㈤頁五上末行：底本作『何自明』，『自』據《夷堅志》頁九四四改爲『伯』。

㈥頁五下四行：底本作『綺席流歡歡正洽』，『流』據《夷堅志》頁九四四改爲『留』。

㈦頁五下五行：底本作『桂月十分秋正半』，『秋』據《夷堅志》頁九四四改作『春』。

㈧頁五下五行：底本作『廣寒宫殿匆匆』，『匆匆』據《夷堅志》頁九四四改作『葱葱』。

㈨頁六下十一行：底本作『真個□行』，據《全宋詞》一六〇〇頁《戀綉衾》詞，補爲『是』字。

(一〇)頁七上四行：底本作『弄笛魚龍盡在』，據《齊東野語》頁二八二『周陸小詞』條，『在』改作『出』。

(一一)頁七下四行：底本作『爲近屬士，園亭甲於浙東』，據《詞林紀事》頁三三〇引《耆舊續聞》，改作『爲近屬，士子最盛，園亭甲於浙東』。

(一二)頁十上倒四行：底本作『淳熙九年八月十八日』，『九』據《武林舊事》卷七頁六《筆記小説大觀》頁五九〇）改作『十』。

(一三)頁十二上二行：底本作『燕兵夜捉銀胡录』，據《全宋詞》頁一九四三、《歸潛志》頁八四及《唐宋詞選》頁三四一，『捉』改作『娖』，『录』改作『簶』。

(一四)頁十三下六行：底本作『焉能浼我哉』，查《康熙字典》與《辭源》皆無『浼』字，因改作『浼』（《詞源》：請托。）。

(一五)頁十六下六行：底本作『簡池人』，據《中國歷史大辭典·宋史》頁一五二和《宋詞四考》頁四九，改『池』爲『州』。

(一六)頁十九上倒四行：底本作『張約齋桂隱百果』，『果』據《武林舊事》卷十頁九（《筆記小説大觀》頁六〇五）『約齋桂隱百課』條改作

「課」。

⑰頁二十下五行：底本作『子野命予賦之』，據《詞林紀事》頁三四六及《唐宋詞鑒賞辭典》，前增『趙』字。

⑱頁二十一上十行：底本作『景物秀野名聞一時，名勝喜游之』，據《吴郡志》頁一九八改作『景物秀野，名聞四方，一時名勝喜游之』。

⑲頁二十五上倒二行：底本作『潘庭堅爲賦《念奴嬌》』，按《念奴嬌》據《全宋詞》頁二九四九改作《水龍吟》。

## 卷二

①頁二十八下二行：底本作『翠尊易竭』，『竭』據《姜白石詞編年箋校》頁五〇，當改作『泣』。

②頁三十上三行：底本作『越中聞簫鼓感懷』，據《姜白石詞編年箋校》頁五二，改作『越中歲暮，聞簫鼓感懷』。

③頁三十上倒四行：底本作『《吴都賦》：「户藏烟浦，家具畫船」，惟吴興爲然』，據《姜白石詞編年箋校》頁二九，改作『唐李庚《西都賦》「户閉烟浦，家藏畫舟」，惟吴興爲然』。

④頁三十二上倒一行：底本作『怕梨花，落盡成秋苑』，『苑』字不協韵，據《姜白石詞編年箋校》頁三五改作『色』。

⑤頁三十二下二行：底本作『湘梅』，據《姜白石詞編年箋校》改作『賦潭州紅梅』。

⑥頁三十三下五行：底本作『《滿江紅》舊詞用仄韵』，『詞』據《姜白石詞編年箋校》頁三二、《詞林紀事》頁三七一及文义，改作『調』。

⑦頁三十三下八行：底本作『風與帆俱駛』，『帆』據《姜白石詞編年箋校》頁三三改作『筆』。

⑧頁三十五下劉仙倫《霜天曉角》詞，《宋詞四考》頁三二九：『案此首韓元吉詞，見《樂府雅詞》，王奕并有和詞，《花庵詞選》作劉仙倫詞，恐非。』可供參考。

⑨頁三十八上末行：底本作『愁損玉人』，《全宋詞》頁二三二六作『愁損翠黛雙娥』，且有一小注，正文不改，供參考。

⑩頁三十九下一行：底本作『黄鍾喜遷鶯』，按『黄鍾』二字爲標注宫調，非題目，故删去。

⑪頁三十九下倒二行：底本詞調名《清商怨》，按即《釵頭鳳》，上下闋末尾各少一字，即『憶』、『得』，可參考《詞林紀事》頁三八六。

⑫頁四十二下五行：底本作『梅花瞰憔悴』，按『瞰』字當改作『瞰』，瞰，《辭源》作『甚』解，表程度之深。

⑬頁四十七上二行：底本作『是夕檥舟』，查《康熙字典》、《辭源》皆無『檥』字，當是『艤』字。艤，《辭源》：船攏岸。

⑭頁四十七上三行：底本作『郡守周少隱采東坡祠語扁爲「卷雪」』，『祠』據文義并參《夷堅志》頁一三六六改作『詞』。

⑮頁四十七上九行：底本作『青駃久翩翩』，『駃』據《夷堅志》頁一三六七，改作『駛』。

⑯頁四十八上四行：底本作『不覺小窗人靜』，『不覺』二字衍，删去，參《全宋詞》頁一六〇三。

⑰頁四十九上六行：底本作『夢魂應被梅花覺』，『梅』據《歸潛志》頁一一八改作『楊』。

⑱頁四十九箋引《歸潛志》，和原書順序有不同，文義亦有差别，可參《歸潛志》頁一一七、一一八。

## 卷三

㈠頁五十五下六行：底本作『《虛齋樂府·徵韶·咏雪》云』，『徵韶』據《詞律》當改作『徵招』。

㈡頁五十六下六行：底本作『如泛簫聲』，『如』據《全宋詞》頁三〇三七改作『水』。

㈢頁五十七下倒五行：底本作『淳熙十二卷三月十九日』，『卷』據文義改作『年』。

㈣頁六十一上五行：底本作『艤汀洲』，『艤』改作『艤』，參見卷二注〔一三〕。

㈤頁六十五上五行：底本作『向隨堤躍馬』，『隨』據詞意改作『隋』。

㈥頁六十六下一行：底本作『寧寧二八餘年紀』，『寧寧』據《全宋詞》頁二九五一改作『亭亭』。

㈦頁六十八上四行、五行：底本作『李肩吾』、『肩吾字子我』，《宋詞四考》作『李從周字肩吾』，《中國人名大辭典》頁四一八·四亦作『李從周字肩吾』，《中國叢書綜録》（第三册）頁五七八《字通》著者作『李從周』，故改作『李從周』、『從周字肩吾』。

㈧頁六十八上倒四行：底本作『揭球樂』，『揭』據《全宋詞》頁二四



〇三改作『抛』。

㈨頁七十一上三行：底本作『蠟月二十有五日』，『蠟』字據文義改作『臘』。

## 卷四

㈠頁七十四上倒一行：底本作『劍水染花腥』，『劍』據《全宋詞》頁二九二六并參胡雲翼《宋詞選》頁三七一改作『膩』。

㈡頁七十五上倒七行：底本作『飛簷度雲微濕』，『簷』據《全宋詞》頁二九二五、《吴夢窗詞箋釋》改作『檐』。

㈢頁七十六上五行：底本作『有明月，倦登樓』，『倦』字《全宋詞》頁二九三九、《唐宋詞選》等皆作『怕』，據改。

㈣頁七十八上二行：底本作『在鐙前攲枕』，『鐙』據《全宋詞》頁二九二二改作『燈』。

㈤頁七十八下三行：底本作『嘆人老、長安鐙外』，『鐙』據《全宋詞》頁二九四一改作『燈』。

㈥頁七十九上一行：底本作『風鐙摇夢』，『鐙』據《全宋詞》頁二九四一改作『燈』。

㈦頁七十九上六行：底本作『不約舟移楊柳岸』，『岸』據《全宋詞》頁二九二三、《吴夢窗詞箋釋》改作『繫』。

㈧頁七十九下二行：底本作『春悄幾』，《全宋詞》頁三二八八、《吴夢窗詞箋釋》作『春恨悄』，據改。

〔九〕頁七十九下倒二行：　底本作「塵侵鐙户」，「鐙」據《全宋詞》頁二九四五改作「燈」。

〔一〇〕頁八十上六行：　底本作「《兩湖塵談》云」，「兩」據《詞林紀事》頁四五三改作「西」。

〔一一〕頁八十一下三行：　底本作「常著《文房擬制表》一卷」，「常」據文義改作「嘗」。

〔一二〕頁八十一下倒六行：　底本作「孝邁字德文」，「文」字《詞林紀事》頁四五四作「夫」，《唐宋詞鑒賞辭典》頁一一四二作「父」，供參考。

〔一三〕頁八十三《謁金門》（人病酒）詞，《宋詞四考》頁三一六：「案此首趙聞禮詞，見《浩然齋雅談》，《絶妙好詞》作譚宣子詞，非是。」可資參考。

〔一四〕頁八十五上《玉漏遲》詞，《宋詞四考》頁三一六：「案此首趙聞禮詞，見《陽春白雪》，林表民有和詞，可信確爲趙作。《絶妙好詞》引作樓采詞，毛本《夢窗詞》又收入，并誤。《詞綜》亦沿毛本之誤。」可資參考。

〔一五〕頁八十五上四行：　底本作「細把花須細數」，「須」據詞意改作「鬚」。

〔一六〕頁八十五下倒二行：　底本作「柳輕侮小」，「侮」據《全宋詞》頁二六九六改作「梅」。

〔一七〕頁八十六下《芳草》詞，底本作「響烟驚落日」，「油車歸後」，「空岩虚谷應」，「正酣紅紫夢」，《詞林紀事》頁四五五：「據《新刊西湖志》，『響烟』作『響音』，『油車』作『鈾車』，『空』字作『正』字，下『正』字作『笑』字。」可供參考。

〔一八〕頁八十七上箋引《癸辛雜識》，又見《齊東野語》頁二一九、二二〇，底本作「從我乘風去」，據《全宋詞》頁三一五八和《齊東野語》卷十二改作「從我乘風歸去」。

〔一九〕頁八十九上五行：　底本作「悵寒蕪衰草隨宫路」，「隨」據《全宋詞》頁三一六一并參《宋詞通論》頁三三一改作「隋」。

〔二〇〕頁九十一上倒五行：　底本作「鄒道卿亦曾題咏」，按《中國人名大辭典》頁一三四一「鄒浩」條，「有《道鄉集》，學者稱道鄉先生」，「鄒道卿」即指「鄒道鄉」，「卿」改作「鄉」。

卷　五

〔一〕頁九十五上倒三行：　底本作「蘭舟静艤」，「艤」據《全宋詞》頁三〇二九改作「艤」，參見卷二注〔一三〕。

〔二〕頁九十六下倒六行：　底本作「畫幅畫應難盡」，「幅」據《全宋詞》頁三二七六、《草窗詞校注》改作「筆」。

〔三〕頁一〇〇下九行：　底本作「泪濕瓊鐘」，「鐘」據《全宋詞》頁二九〇一改作「鍾」，《詞律》頁四二八亦作「鍾」。

〔四〕頁一〇三下倒二行：　底本作者名「湯恢」，《宋詞四考》頁十二、《宋詞通論》頁三三八皆作「楊恢」，本書頁一〇五箋注引《浯溪集》亦作「楊恢」，據改。

〔五〕頁一〇四下七行：　底本作「翌日艤舟其所」，「艤」據《宋詞紀事》頁一八七改作「艤」，參見卷二注〔一三〕。

〔六〕頁一〇六箋引《浯溪集》，《游浯溪》調與《詞律》頁五五八補體《二郎神》調相同，《全宋詞》頁二九八〇亦作《二郎神》，下二行『按此詞甚佳，惜不著調名』可據此補證，上倒四行『眉山楊恢《游浯溪》詞云』改作『眉山楊恢《二郎神·游浯溪》詞云』。

⑦頁一〇八下倒一行：底本作『人以吴潮展轉』，『以』據《全宋詞》頁三一三八改作『似』，參見《詞林紀事》頁三六〇。

## 卷六

①頁一一三下二行：底本作『正風喧雲淡』，『喧』，《全宋詞》頁二九六九作『暄』，『暄』，《辭源》：温，暖。據詞意，『喧』改作『暄』。

②頁一一三下三行：底本作『鐙暈裏』，『鐙』據《全宋詞》頁二九六九改作『燈』。

③頁一一三下五行：底本作『數菖蒲、老是來期』，據《全宋詞》頁二九六九補作『數菖蒲、花老是來期』。

④頁一一五下一行：底本作『寒峭收鐙後』，『鐙』據《全宋詞》頁二九七〇改作『燈』。

⑤頁一一五下十一行：底本作『爐暖鐙寒』，『鐙』據《全宋詞》頁二九七二改作『燈』。

⑥頁一一五下十三行：底本作『鯹波十里吴歈遠』，『鯹』是『腥』的俗體，據《全宋詞》頁二九七二改『鯹』爲『腥』。

⑦頁一一五下十四行：底本作『美杜老無情』，『美』據《全宋詞》頁二九七二并參《詞林紀事》頁四〇一改作『笑』。

⑧頁一一五下倒二行：底本作『移得春嬌裁瓊苑』，『裁』據《全宋詞》頁二九一一并參《吴夢窗詞箋釋》改作『栽』。

⑨頁一一六下六行：底本作『土花詞冷無人』，『詞』據《全宋詞》頁二九七三并參《詞林紀事》頁四〇二，改作『祠』。

⑩頁一一七下倒三行：底本作『蘚捎空挂凄凉月』，『捎』據《全宋詞》頁二九七四改作『梢』。

⑪頁一一八上二行：底本作《木蘭花》，按律應是《木蘭花慢》調，據《全宋詞》頁二九七四改。

⑫頁一一八下五行：底本作『鐙外殘砧』，『鐙』據《全宋詞》頁二九七四改作『燈』。

⑬頁一二七下倒二行：底本作『意度超元』，『元』，清人避康熙諱，今改作『玄』。

⑭頁一二八下五行：底本作『錢草窗西歸』，『錢』據《全宋詞》頁三四八二并參《山中白雲詞》頁五四改作『餞』。

⑮頁一二八下八行：底本作『只恨剪燈聽雨』，『只』字衍，删去，據《全宋詞》頁三四八二并參《山中白雲詞》頁五四。

⑯頁一二九上十行：底本作『纔放些情意』，『情』據《全宋詞》頁三四八〇改作『晴』，參見《山中白雲詞》頁五〇。

## 卷七

①頁一三二下箋引《畫禪室隨筆》，查《畫禪室隨筆》無此條，疑從它書輯出，原著不改，供參考。

⑫頁一三八上五行：　底本詞名《醉花魄》，據《全宋詞》頁三二九三改作《醉落魄》。

⑬頁一三九下六行：　底本作『宫柳微開霞眼』，『霞』據《全宋詞》頁三二六四、《草窗詞校注》改作『露』。

⑭頁一三九下十行：　底本作『誰搗元霜』，『元』，清人避諱，今據《全宋詞》頁三二六四改作『玄』。

⑮頁一四〇上三行：　底本作『正緑蔭池幽』，『緑蔭』據《全宋詞》頁三二六五、《草窗詞校注》改作『蔭緑』。

⑯頁一四〇上倒七行：　底本作『蘭鐙』，『鐙』據《全宋詞》頁三二六五改作『燈』。

⑰頁一四〇下倒七行：　底本作『鐙前兒女』，『鐙』據《全宋詞》頁三四八二改作『燈』。

⑱頁一四一上三行：　底本作『登高還嬾』，『嬾』據《全宋詞》頁三三六五改作『懶』，《詞源》：嬾，同嬾、懶。

⑲頁一四四上一行：　底本作『一室秋鐙』，『鐙』據《全宋詞》頁三三六五改作『燈』。

⑳頁一四四上倒七行：　底本作『小庭陰』，『陰』，《全宋詞》頁三三五八、《花外集箋注》作『深』。按：下『人日更多陰』，『陰』字重韵，故須改作『深』。

㉑頁一四四上倒五行：　底本作『試鐙天氣』，『鐙』據《全宋詞》頁三三五八改作『燈』。

㉒頁一四四下十二行：　底本作『剪春鐙』，『鐙』據《全宋詞》頁三三五二改作『燈』。

㉓頁一四五上三行：　底本作『《蘋洲漁笛譜·題中山詞卷》云』，該詞調名據律當是《踏莎行》，『中山』據本書頁一四〇下『王沂孫』條作者介紹『又號中仙』，即指王沂孫，故參《全宋詞》頁三二九〇改作『《蘋洲漁笛譜·踏莎行·題中仙詞卷》云』。

㉔頁一四六下五行：　底本作『今夜試青鐙』，『鐙』據《全宋詞》頁三四〇八改作『燈』。

## 跋

①頁一上三行：　底本作『相與篝燈茗碗商確箋注』，『確』據文義改作『榷』。

## 絶妙好詞續鈔卷一

①頁二薛夢桂《醉落魄》詞已見《絶妙好詞箋》卷三頁七十二，此詞重選，在此説明，以供參考。

②頁二下倒四行：　底本作『吹落鐙花』，『鐙』據《全宋詞》頁二九四六改作『燈』。

③頁三上三行：　底本作『隔帳鐙花微笑』，『鐙』據《全宋詞》頁二九四六改作『燈』。

④頁四上末行：　底本作『銀缸』，『缸』據詞意改作『釭』，《辭源》：銀釭，銀燈。

（五）頁六上二行：底本詞調名《惜紅衣》，該詞與《惜紅衣》調不符，《全宋詞》頁二九七一作《壺中天》（即《念奴嬌》），因改作《壺中天》。

（六）頁九上三行：底本作『收拾做春莫』，『莫』據《全宋詞》頁三二六三改作『暮』。『莫』，《康熙字典》：《玉篇》『與莫同』。莫通暮。

（七）頁十三上三行：底本作『塞上砧聲響以雷』，『以』據《增訂湖山類稿》頁二〇五改作『似』。

## 絶妙好詞續鈔卷二

（一）頁十五上四行：底本作『時德壽宫有内人預掌果子者交涉』，『預』據《齊東野語》頁二〇〇及文義改作『與』。

（二）頁十五下八行：底本作『沈園花老不飛綿』，『花』據《齊東野語》頁一一七改作『柳』。

（三）頁十六上引蜀娼詞，前一首調名《鵲橋仙》，參見《詞林紀事》頁五二九，後一首不知調名。

（四）頁十六下倒七行：底本作『張鐙進酒』，『鐙』據《武林舊事》卷七頁六（《筆記小説大觀》第四册頁五九〇）改作『燈』。

（五）頁十六下倒四行：底本作『宣轎兒入便』，據《武林舊事》卷七頁五、六（《筆記小説大觀》第四册頁五九〇）補作『宣轎兒入便門』。

（六）頁十七上四行：底本作『漸已羅列鐙球等求售』，『鐙』據《武林舊事》卷二頁八（《筆記小説大觀》頁五五四）改作『燈』。

（七）頁十七上五行：底本作『謂之鐙市』，『鐙』據《武林舊事》卷二頁八（《筆記小説大觀》頁五五四）改作『燈』。



（八）頁十七上六行：底本作『每夕樓鐙初上』，『鐙』據《武林舊事》卷二頁八（《筆記小説大觀》頁五五四）改作『燈』。

（九）頁十九上二行：底本作『御賜用匹段』，據《武林舊事》卷七頁五（《筆記小説大觀》頁五〇九）改作『賜御用匹段』。

（一〇）頁十九上六行：底本作『提舉太上皇聖旨』，據《武林舊事》卷七頁五（《筆記小説大觀》頁五〇九）改作『提舉傳太上皇聖旨』。

（一一）頁二十一下四行：底本作『寒鐙伴殘漏』，『鐙』據《全宋詞》頁三八六五改作『燈』。

（一二）頁二十一下五行：底本作『鑒古畫難就』，據《齊東野語》頁三〇〇補作『菱鑒古、畫眉難就』。

（一三）頁二十二上一行：底本作『殊不知陳後山亦常用此語』，『常』據文義并參《齊東野語》頁一三〇改作『嘗』。

（一四）頁二十二上二行：底本作『貂蟬當作兜鍪』，據《齊東野語》頁一三〇補作『貂蟬當復作兜鍪』。

（一五）頁二十二上三行：底本作『嘗有與執政云』，據《齊東野語》頁一三〇補作『嘗有書與執政云』。

（一六）頁二十二下倒九行：底本作『陳惟善合《寶鼎》詞云』，據《齊東野語》頁二一九補作『陳惟善合《寶鼎現》詞云』，參見《全宋詞》頁二九八九。

（一七）頁二十二下倒六行：底本作『宫漏永，千門角鑰』，『角』據《全宋詞》頁二九八九及《齊東野語》頁二一九改作『魚』。

（一八）頁二十三上九行：底本作『從橐《陂塘柳》云』，據《全宋詞》頁三三一八補作『趙從橐《陂塘柳》云』。

⑲頁二十三上十三行：底本作『可問青天語』，『問』據《全宋詞》頁三三一八、《齊東野語》頁二二一改作『向』。

⑳頁二十三上倒八行：底本作『郭應酉居安《聲聲漫》云』，『漫』據《全宋詞》頁三三一七改作『慢』。

㉑頁二十三上倒八行：底本作『甘雨灑通宵』，『雨』據律當是衍字，據《全宋詞》頁三三一七并參《齊東野語》頁二二一，刪去。

㉒頁二十三上倒六行：底本作『被乾坤係定』，『係』據《全宋詞》頁三三一七并參《齊東野語》頁二二一改作『繫』。

## 點校參考書目


詞律 （清）萬樹 編著 上海古籍出版社1984年2月影印清光緒二年本

唐宋詞格律 龍榆生 編撰 上海古籍出版社1978年版

詞林紀事 （清）張思岩 宗橚輯 成都古籍書店1982年3月排印本

宋詞紀事 唐圭璋 編著 上海古籍出版社1982版

宋詞四考 唐圭璋 著 江蘇古籍出版社1985年9月版

全宋詞 唐圭璋 編 中華書局1965年版1992年印刷

唐宋詞選 中國社會科學院文學研究所 編 人民文學出版社1982年8月版

宋詞選 胡雲翼 選注 上海古籍出版社1988年6月版

宋詞通論 薛礪若 著 上海書店1985年6月影印本

唐宋詞鑒賞辭典 唐圭璋 主編 江蘇古籍出版社1986年12月版

姜白石詞編年箋校 （宋）姜夔 著 夏承燾 箋校 上海古籍出版社1981年5月版

放翁詞編年箋注 （宋）陸游 著 夏承燾 吳熊和 箋注 上海古籍出版社1981年6月版

吳夢窗詞箋釋 （宋）吳文英 著 楊鐵夫 箋釋 廣東人民出版社1992年重印無錫民生印書館1936年本

山中白雲詞 （宋）張炎撰 吳則虞 校輯 中華書局1983年10月版

齊東野語 （宋）周密撰 張茂鵬 點校 中華書局1983年11月版

鶴林玉露 （宋）羅大經 撰 王瑞來 點校 中華書局1983年8月版

能改齋漫録 （宋）吳曾 撰 上海古籍出版社1979年11月版

歸潛志 （金）劉祁 撰 崔文印 點校 中華書局1983年6月版

夷堅志　（宋）洪邁　撰　何卓　點校　中華書局1981年10版
增訂湖山類稿　（宋）汪元量　撰　孔凡禮　輯校　中華書局1984年6月版
游宦紀聞　舊聞證誤　（宋）張世南　李心傳　撰　張茂鵬　崔文印　點校　中華書局1981年1月版
吳郡志　（宋）范成大　撰　江蘇古籍出版社1986年10月版
吳郡圖經續記　（宋）朱長文　撰　江蘇古籍出版社1986年8月版
武林舊事　（宋）周密　撰　江蘇廣陵古籍刻印社1995年5月版《筆記小説大觀》第四册
中國人名大辭典　臧勵龢　等編　上海書店1984年8月影印本
康熙字典　中華書局1984年6月版
辭源（修訂本）　商務印書館1983年12月版
草窗詞校注　（宋）周密　著　史克振　點校　齊魯書社1993年版

## 文華叢書

《文華叢書》是廣陵書社歷時多年精心打造的一套綫裝小型開本國學經典。選目均爲中國傳統文化之經典著作，如《唐詩三百首》《宋詞三百首》《古文觀止》《四書章句》《六祖壇經》《山海經》《天工開物》《歷代家訓》《納蘭詞》《紅樓夢詩詞聯賦》等，均爲家喻户曉、百讀不厭的名作。裝幀採用中國傳統的宣紙、綫裝形式，古色古香，樸素典雅，富有民族特色和文化品位。精選底本，精心編校，字體秀麗，版式疏朗，價格適中。經典名著與古典裝幀珠聯璧合，相得益彰，贏得了越來越多讀者的喜愛。現附列書目，以便讀者諸君選購。

# 文華叢書

書目　一

## 文華叢書書目

人間詞話（套色）（二册）
三字經·百家姓·千字文·弟子規（外二種）（二册）
三曹詩選（二册）
千家詩（二册）
小窗幽記（二册）
山海經（插圖本）（三册）
元曲三百首（二册）
元曲三百首（插圖本）（二册）
六祖壇經（二册）
天工開物（插圖本）（四册）
王維詩集（二册）
文心雕龍（二册）
文房四譜（二册）
片玉詞（套色、注評、插圖）（二册）
世説新語（二册）
古文觀止（四册）
古詩源（三册）
四書章句（大學、中庸、論語、孟子）（二册）
史記菁華録（三册）
史略·子略（三册）
白居易詩選（二册）
老子·莊子（三册）
列子（二册）
西廂記（插圖本）（二册）
宋詞三百首（二册）
宋詞三百首（套色、插圖本）（二册）
宋詩舉要（三册）
李白詩選（簡注）（二册）
李商隱詩選（二册）
李清照集·附朱淑真詞（二册）
杜甫詩選（簡注）（二册）
杜牧詩選（二册）

# 文華叢書

書目



辛弃疾詞（二册）
呻吟語（四册）
花間集（套色、插圖本）（二册）
孝經・禮記（三册）
近思録（二册）
林泉高致・書法雅言（一册）
東坡志林（二册）
東坡詞（套色、注評）（二册）
長物志（二册）
孟子（附孟子聖迹圖）（二册）
孟浩然詩集（二册）
金剛經・百喻經（二册）
周易・尚書（二册）
茶經・續茶經（三册）
紅樓夢詩詞聯賦（二册）
柳宗元詩文選（二册）
荀子（三册）
秋水軒尺牘（二册）

姜白石詞（一册）
珠玉詞・小山詞（二册）
唐詩三百首（插圖本）（二册）
酒經・酒譜（一册）
孫子兵法・孫臏兵法・三十六計（二册）
格言聯璧（二册）
浮生六記（二册）
秦觀詩詞選（二册）
笑林廣記（二册）
納蘭詞（套色、注評）（二册）
陶庵夢憶（二册）
陶淵明集（二册）
張玉田詞（二册）
雪鴻軒尺牘（二册）
曾國藩家書精選（二册）
飲膳正要（二册）
絶妙好詞箋（三册）

菜根譚・幽夢影（二册）
菜根譚・幽夢影・圍爐夜話（三册）
閑情偶寄（四册）
畫禪室隨筆附骨董十三説（二册）
夢溪筆談（三册）
傳統蒙學叢書（二册）
傳習録（二册）
搜神記（二册）
楚辭（二册）
經史問答（二册）
經典常談（二册）
詩品・詞品（二册）
詩經（插圖本）（二册）
園冶（二册）

裝潢志・賞延素心録（外九種）（二册）
隨園食單（二册）
遺山樂府選（二册）
管子（四册）
蕙風詞話（三册）
墨子（三册）
論語（附聖迹圖）（二册）
學詩百法（二册）
樂章集（插圖本）（二册）
學詞百法（二册）
戰國策（三册）
歷代家訓（簡注）（二册）
顔氏家訓（二册）